KB075700

AI시대의 노동전쟁

그리고

저출산 해결방안

Index

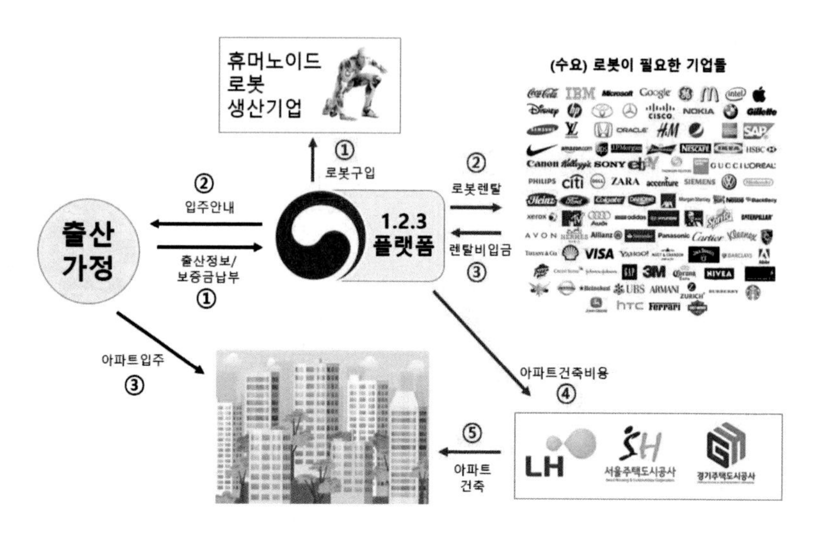

<저출산 해결방안 워크플로우(Work-Flow)>

가) 정부가 자동으로 출산하는 가정을 감지하고 30년 장기전세 아파트 입주권을 공급한다.

나) 정부는 출산 가정의 보증금으로 로봇을 구매하여 노동이 필요한 기업에 로봇을 렌탈한다.

다) 기업은 로봇 렌탈비를 월 단위로 정부에 입금한다.

라) 정부는 받은 렌탈비로 LH공사, SH공사와 같이 공기업에게 예산을 편성한다.

마) 편성 받은 예산으로 LH공사, SH공사 등은 새 아파트를 짓는다.

바) 새 아파트에 출산 가정이 30년간 장기 전세로 입주한다.

사) 이 모든 것이 1.2.3 정책으로 움직이는 정부 플랫폼으로 운영한다.

이 책은 저출산 해결방안에 대한 필자의 생각을 적은 책이며, 이를 실현하기 위해 무엇을 경계해야 하는 점을 서술한 책이다.

미국 CNN은 이렇게 기사를 냈다. '한국군의 새로운 적은 '최악의 저출생률''

저출산 이슈로 대한민국은 이제 발등에 도끼가 찍혔다. 그것도 피가 철철 나고 있으며 이대로 가다간 과다출혈로 죽어가는 상황이다. 남들이 알아서 애를 낳겠지 하다가 저출산 0.6 성적표를 받았다. 한국은 성적표에 민감하다고나 할까? 아니면 경쟁사회에서 당연히 받아들이는 관례라고 해야 하나? 관례라고 하기에는 IMF보다 심각한 상황이다. 일단 우리가 받은 성적표는 0.6 이다. 피가 끝까지 바닥에 버려지는 시간은 60년이 남았을 뿐이다. 필자가 찾은 답은 바로 휴머노이드 로봇을 이용한 저출산 해결방안이다.

아울러 물가나 이렇게 내려갔으면 좋겠다. 필자는 원래 이 책을 쓸 생각이 아예 없었다. 그러나 미디어에서도 저출산이 0.6 이라고 뉴스가 나왔을 때 심각하다는 생각에 책을 쓰기로 결심했다. 필자가 나설 정도면 심각한 상황이다. 이 글을 쓰기 시작 하면서부터 나름대로 '행동하는 양심' 중 한 명이 되기로 했다. 왜냐하면 필자가 뭘 발견했는데 그냥 흘려 보내기엔 '아깝다'는 감정보다 '여러분! 마지막 배가 오고 있어요!'라고 말하고 싶었을지도 모른다. 6.25 전쟁 때 '흥남철수' 같은 상황이라고 할까? 퇴로는 막혀 있고 탈 수 있는 배는 한정적이다. 이제는 정신 똑바로 차려야 한다. 대한민국의 미래가 사라질 수 있는 상황인 것이다.

2016년 도널드 트럼프가 러스트밸트 유세 현장에서 말한 건 2가지였다.

첫째 : 아메리카 퍼스트!

둘째 : 리쇼어링!

빌어먹을 트럼프.. 그는 단지 미국에 부채와 중국을 무역 이슈를 갖고 이 말을 했을까? 러스트 밸트에서 빨간 모자를 쓰면서 이 2가지 기조를 웅변한 모습이 잊혀지지 않는다.

장기간 뉴스에 나오는 것처럼 중국과 미국은 반도체 전쟁 중이며, 중국은 대만을 점령하려 기회를 엿보고 있다. 미국은 중국에 첨단 반도체 수출을 막고 있다. 반도체를 만드는 중고 장비도 제재대상이다. 엔비디아의 H100도 포함한다. 필자는 IT 관련 기술에 관심이 많다. 필자는 저출산 관련하여 문제 해결을 연구하다가 한 가지 시나리오에 도달했다. 보통 중요한 내용은 책 마무리에 기술하는 게 일반적이지만, 필자는 프롤로그에 미리 언급하고자 한다.

지금 한국은 중국과 미국의 '인공지능 로봇의 노동전쟁' 직전에 끼어있는 상황이라고 생각한다. 필자는 4차산업의 핵심은 휴머노이드 로봇이라고 생각한다. 정확히는 AI기반의 로봇이다. 미국, 중국, EU, 일본, 한국 모두 선진국이 가장 중요하게 여기는 테마다.

그 동안 많은 미디어에서 로봇이 무엇을 할 것인가?라는 주제에서 인간과 함께 일하는 협업로봇(Collaborative robots, Cobots)이 역할을 많이 언급한다. 그러나 필자는 거시적으로 좀 더 깊숙이 생각해봤다. 중국이 자칭 'G2'라고 불릴 수 있게 된 배경은 중국이 1990년대 초부터 본격적인 세계 공장 역할, 즉 막대하고 값싼 노동력이 가동했기 때문이었다. 시진핑이 주석으로 취임 후 오바마가 중국을 띄우려 'G2'라는 용어를 선물했으나 면전에 '신흥강국'이라는 용어로 미국의 심기를 불편하게 만들었다. 이쯤에서 눈치가 빠른 분은 이미 감을 잡았을 것이다.

이제는 중국이 맡았던 황금의 90년대 노동력 지위를 미국이 가져가려 한다. 미국이 A~Z까지 이제 다하려 한다는 의미다. 이 말은 중국의 값싼 제품과 노동력의 공장을 로봇으로 운용하여 대응함을 의미한다. 미국은 인공지능 '로봇 이니셔티브'가 예전부터 가동 중에 있다. 즉 미국은 값싼 로봇세(TAX)로 무한경쟁으로 들어가기 위해 지금도 전력질주 중이다. 트럼프나 바이든 그리고 다음 대선의 주인공은 이러한 컨센서스에 동의하고 있다. 그 다음 대통령도 마찬가지일 것이다.

현재 미국 연방정부의 부채는 34조달러.. 우리나라 돈으로 약4경5천조원이다. 다시 한번 말한다. 미국은 로봇을 대량으로 만들어 막대한 노동력을 자국 내에서 가동하려 한다. 이 생산 체제가 움직이면 미국은 막대한 세금을 걷어들일 수 있다.

참고로 미국 포춘지(fortune.com)는 2023년11월6일 기사 타이틀로 '로봇은 인간근로자를 대체하는 시장에 수백만대에서 수십억대의 휴머노이드 로봇을 판매할 수 있다'고 게재했다. 로봇 스타트업 Figure AI CEO 'Brett Adcock'의 말을 인용한 것이다. 2024년 3월에는 놀라운 Figure AI 로봇을 선보였다.

<미국 Figure AI - Figure 01>

아울러 미국 포브스(Forbes.com) 2023년 12월 18일 Tesla의 AI혁명 : Morgan Stanly, 폭발적인 성장예측'이라는 타이틀로 테슬라를 포함한 로봇 노동시장이 30조달러의 기회 즉 한화로 4경500조원(환율1350원기준)이라는 숫자를 예측했다.

앞으로 미국의 '로봇세'는 25%~33% 수준이 될 것이다. 포브스의 예측대로 연 30조달러의 기회가 사실이라면 25%를 세금으로 부과할 경우 연 7.5조달러(1경125조원)를 거둬들이는 셈이다.

('로봇세'는 MS의 회장이었던 빌게이츠가 2017년에 처음 말했다. 빌게이츠는 마이크로소프트(Microsoft, MS) 회장이었지만, Bing 서비스에 지대한 관심을 가진 인물이다. 구글에 대한 공격

으로부터 그는 항상 기회를 엿보고 있었다. 그래서 openAI(https://openai.com/)를 사들였다. 필자가 생각하는 미국의 빅테크 기업 중 포텐셜이 가장 뛰어난 회사를 고르라고 누군가 내게 물어보면 MS와 IBM(https://www.ibm.com/)을 항상 꼽는다.)

openai.com

www.ibm.com

본편에 자세히 말하겠지만 테슬라 옵티머스가 1억대를 기업들에 렌탈 할 경우 테슬라 기업가치는 2경5000억원에 달한다는 보고서를 미국 어느 회사의 CFA가 X.com(예전 트위터)에 글을 남겼다. 10억대를 렌탈하면 25경원이다.

간단하게 정리하면 머지않아 중국의 노동 생산력과 같이 로봇으로 대체하는 세상을 맞이하게 된다는 의미이다. 중국은 예전과 같지 않은 인건비로 중국에서 이탈하는 기업이 늘고 있고 폭스바겐까지 나간다고 한다. 천진에서 삼성의 간판이 사라진 지 10년도 넘었다.

중국의 막대한 노동력을 능가하는 '로봇 레이버 파워(Robot Labor Power)'를 미국이 가져가려 하기 때문에 한국은 이에 대비해야 한다는 것이 필자의 생각이다. 중국은 GR-1, 미국은 옵티머스를 이미 개발하여 시장에 내놓기 직전에 있다. 옵티머스의 출시는 2027년이다.

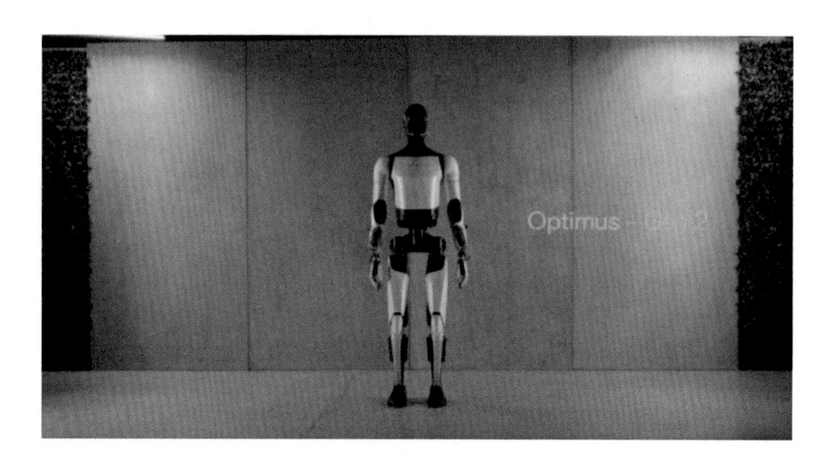

<테슬라 옵티머스(Optimus)>

<중국 Fourier Intelligence's GR-1>

중국은 스마트폰으로 애플의 세련된 디자인을 그대로 따라하며 카피캣(copy cat : 다른 회사의 제품을 그대로 따라하는 것)을 내놓았으나 다음 타겟은 노동을 하는 로봇인 것을 간파한 것이다. 아울러 캐치프레이즈도 Mass Production! 이다. 양자컴퓨팅 특허 세계1위는 중국이다. 미국도 이것을 눈치채고 중국에 흘러가는 반도체에 브레이크를 건 것이다. 리쇼어링과 함께! 그래서 이 점이 매우 중요하기 때문에 프롤로그에 적은 것이다. 아울러 적어도 2040년 전에 미국 내에서만 3억~5억대가 제조업에 투입이 될 것이라는 것이 필자의 예상이다. 2050년이면 미국 내에서만 10억대 가동을 점쳐본다. 앞서 언급했지만 Figure AI 대표는 2023년 말에 수십억대가 팔릴 것이라고 했다.

여기서 한국은 2035년까지는 1억대 이상을 목표로 한국형 리쇼어링을 해야 한다고 생각한다. 개발도상국에 흩어져 있는 기업은 다시 한국으로 돌아와 로봇을 적극적으로 사용해야 한다. 물론 국내 인력으로 관리직도 같이 채용해야 한다. 미국도 리쇼어링을 하는 마당에 한국도 하지 말란 법은 없다. 경공업은 해외로 진출한 한국기업이 상당수다. 그 중 섬유산업 및 부품산업은 노동집약형으로 베트남, 캄보디아, 인도네시아, 미얀마, 말레이시아, 중국, 인도, 방글라데시 등의 값싼 노동력 때문에 90년대 초부터 한국을 벗어난 것이다. 한국이 값싸고 24시간 움직이는 로봇을 준비하면 다시 한국에 공장을 짓고 기계를 움직이는 계기가 마련될 것이라 생각한다.

휴머노이드 로봇 모셔닝(Motioning,움직임)은 17~19살 정도의 팔팔한 청년의 움직임을 목표로 나아가고 있다. 제조업에서 필요한 단순 노동은 향후 로봇으로 대체될 것이다. 제조업에서 필요한 노동 로봇은 진짜 사람처럼 움직임을 보이는 로봇이다. 막대한 클라우드 서비스의 냉각화와 전기료 및 부품값이 걱정인가? 온디바이스칩(On-Device Chip, 네트워크로 연결된 AI클라우드에 접속하지 않고 기기자체적으로 정보를 수집하고 연산하는 프로세서)이 발전되고 있다. 아니면 배터리가 걱정인가? 실내에서 플러그를 꼽고 일한다면 거의 24시간 동안 움직일 수 있다. 더 나아가 전고체 배터리도 상용화를 앞두고 있다. 로봇이 많으면 통신 문제가 걱정인가? 현재 우리는 5G를 넘어 1TB 트래픽인 6G를 앞두고 있는 상황이다. 로봇이 산업에 적극적으로 쓰인다는 건 6G의 표준 싸움도 걸려있는 이슈이다.

이 글을 읽는 사람 중에 24시간 2교대나 3교대 공장에서 근무해 보신적이 있으신가? 아니면 군대를 떠올려 보시라. 단순노동으로 내가 사람인지 로봇인지 생각해 본적은 한번쯤은 있으실 거라 생각한다. 미래에는 연병장 눈 치우는 몫은 로봇이다. 여기까지 읽고 이렇게 생각하는 사람도 있다. 막대한 생산은 막대한 수요를 기반으로 움직일 텐데 그게 가능한가? 그럼 앞으로 자본의 미국과 생산력의 강자 중국과의 관계는 어떻게 해야하나? 국제관계는 필자가 뚜렷하게 말할 수 있는 입장은 아니나 나름대로 예상을 해 볼 수 있다. 수요와 국제관계의 의견은 본 책에 나중에 기술되어 있으니 참조 바란다.

먼저 한국은 메모리, 배터리, 로봇의 최강국이라는 점이다. NPU도 개발하는 벤처에서도 눈에 띄는 칩을 선보였다. 그러나 chatGPT나 테슬라 옵티머스와 경쟁하기에는 아직 갈 길이 멀어 보인다. 국내 AI 기업들은 분발해야 한다. VLSI(고집적반도체)나 신경망 프로세서를 연구하는 단체도 포함된다. 어떤 이는 인공지능이나 로봇 산업을 마라톤이라고 생각하는데 아니다. 100m 전력질주 게임이다. 시간이 얼마 없다. 4번레인은 미국이, 3번 레인 중국이 스타트가 빨랐다. 하지만 너무 걱정하지 말자. 한국은 5번 레인에 배정받았다.

일론머스크가 이끄는 테슬라 옵티머스는 2027년 출시 예정이며, 기가프레스 공장에서 이미 투입되어 사람 작업자의 모션을 따라 하면서 강화학습을 진행하고 있다. 옵티머스는 자동차를 만드는 기능을 사람처럼 답습하고 있다. 마치 영화 '아바타'에서 실제배우가 모션 캡쳐용 수트를 입고 영화를 촬영하여 3D툴로 영상을 입히는 것처럼 이와 유사하게 옵티머스를 학습시키고 있다.

이런 상태로 가면 포드나 토요타에게 기가프레스와 옵티머스를 OEM방식 아니면 자동차 생산을 턴키렌탈이나 내재화 사업제안을 할지도 모르는 일이다. 자동차 산업에서 기업의 협업은 흔하디 흔했다. RE100을 생각하면 테슬라의 기가프레스는 옳은 답인 듯 하다.(테슬라 2019년~2023년 탄소배출권 판매 매출은 15억달러(2조이상)이상임) 테슬라는 실제로 탄소배출권으로 엄청난 수익을 거두고 있다. 한국은 무슨 방법을 쓰던 상관없다. 하루 빨리 따라잡아야 하는 상황에 놓인 것이다. 네이버랩스나 삼성전자, 엘지전자, SKT, KT, 신세계, 카카오 등 검색개발자를 보유한 대기업은 '생각보다 시간이 없다'는 것을 미리 얘기해주고 싶다. 로보틱스를 개발하는 기업도 대학도 느긋할 시간이 없다.

왕관은 단 하나뿐이며 사과나무를 알아서 심거나 포크레인을 운전하는 로봇을 빨리 공급하는 기업이 세계의 모든 부를 가져가는 것을 알아야 한다. 1등이 모두 가져간다는 사실은 너무 익숙하다. 삼성메모리와 인텔 CPU의 1등 역사를 다시 말하는 건 이젠 지겹다. LG메모리, 도시바메모리, Cyrix 686 CPU는 이 세상에 없다.

앞으로 한국 내에서 로봇을 가장 발전시킬 기업은 2,700만 노동력에서 2억 이상, 글로벌 규모로 10억대 이상 노동력을 운용하는 기업으로 탈바꿈해야 하기 때문이다. 하나만 힌트를 주면 1등은 ‘조’단위가 아니라 이제는 ‘경’단위로 가져가게 될 것이다.

그 모습은 로봇을 생산하는 건 마치 사람을 생산하는 것과 같기 때문이다. 그래서 사람들이 스마트폰의 다음 세대가 로봇이라고 기대하는 이유가 바로 이것이다. 미-중 반도체 전쟁의 진정한 의미가 여기에 있는 것이다.

한 가지 분명히 말하고자 하는 건 난 이 책에 거짓을 기술하지는 않는다. 이 책은 영화 '슬럼독 밀리어네어'와 같이 내가 기억하는 과거의 기억 퍼즐로 퀴즈의 모든 답을 맞춘 '운명'과 같은 책이다. 그래서 '살아생전에 메세지는 남기고 싶다'고 생각했다. 영화 '슬럼독 밀리어네어'에 자막은 처음과 마지막에만 나온다. 여기서 운명은 'fate'나 'Destiny'가 아닌 'written'으로 나온다는 점이다. 영화를 볼 때 신이 인생을 썼다는 표현인 것 같아 싫었지만, 지천명이 다 된 나는 'written'이 맞을 수도 있다는 생각이 든다.

이 글을 읽는 분께 몇 가지만 내가 알게 된 사실을 먼저 알려드리고 싶다. 다 아시는 내용이며 흔히 들어봤을 말이다. 왜냐하면 이 글을 읽으면서 가급적이면 아래 내용을 염두 해 주십사 하기 때문이다.

첫번째 : 사람은 이기적이다.

두번째 : 관례는 곧 어둠이다.

세번째 : 큰 문제가 혼재할 때 우선순위가 중요하다.

우리 국민은 사람이기 때문에 이기적이다. 그러나 존중을 항상 마음에 두기 때문에 매너가 드러난다. 사람이 이기적인 건 너무나도 자연스러운 일이다. 남의 것을 뺏는 건 타인에 대한 존중이 없기 때문에 범죄로 규정하고 그 사람을 사회로부터 격리한다. 관례는 우리가 흔히 겪는 버릇이다. 관례는 중국어로는 '꽌시'다. 어떤 일을 할 때 쉬운 해결을 위해 관례로 돈봉투를 주는 건 지금 당장은 상대방과 내가 편할지 몰라도 사회에 한

점의 어둠을 남기는 것이다.

아스팔트가 검다고 해도 껌딱지는 눈에 보이는 법이다. 그러나 열심히 일하다가 시원한 아이스 아메리카노를 마시기 위해 자리를 비우는 관례는 언제나 환영 받는다. 비를 피하기 위해 동굴에 너무 깊숙이 들어가면 거기서 정체된다는 말이다. 그러면 발전은 거기서 끝이다. 더 좋은 지역을 차지하기 위해 동굴 입구에 잠깐 쉬는 건 괜찮다.

마지막으로 큰 문제가 혼재할 때는 큰 문제나 작은 문제나 우선순위를 무엇을 두느냐에 따라 결과가 달라진다. 무작정 큰 문제를 먼저 해결한다고 해서 해결되지 않는 법도 있다. 작은 문제는 가짓수가 많아서 우선순위에 두기가 애매한 법이다. 다가오는 가까운 미래에 어떤 문제를 먼저 해결해야 다음이 편해지는지 생각해야 한다.

여기까지 읽는 분들은 이 내용 모두 필자의 뇌피셜이라고 치부할 수도 있다. 그러나 필자는 지금 한국, 중국, 미국 이렇게 3개의 국가가 AI를 기반으로 하는 트랜드나 결과물을 보면 필자의 주장에 개연성이 있다고 생각한다. 정황이라는 건 곧 있을 결과를 암시하는 법이다. 지금 우리의 한국은 그 어느 때보다 긴급한 상황에 놓여 있다고 생각한다.

굳이 비유를 하자면 6.25가 터졌는데 서울에서는 '우리 국군이 잘 막아주겠지'하고 느긋하게 생각한 상황이라고 본다. 그 결과 탱크 한대 없는 국군은 그대로 밀려났었다. 전쟁은 당장 사람이 죽는다 해도 전쟁이 끝나면 희망이 있다는 사실이 있지만 지금 다가오는 근 미래에는 이 희망조차 없다는 것이 필자가 가장 우려하는 부분이다. '4차산업의 핵심인 2족보행 로봇이 세상에 팔지도 않는데 무슨 소리냐?'하고 말하겠지만 이렇게 비판하는 사람들도 사지(四肢)가 달린 로봇이 곧 산업현장에 투입된다는 사실에 부정할 수 없다. 다시 한번 말한다. 대한민국에 시간이 얼마 없다.

지은이 : 김태민

- 1976년 출생
- 섬유학 전공 (1992~1998)
- Knitting(Stoll) Engineer (1998~2001,2005)
- 검색엔진 세일즈 & 컨설팅, IT서비스 기획 (2001~2015)
- ㈜온아워 대표이사 (2015~2017)
- 현 한국토지주택공사(LH공사) 재직 중 (2019~)

Ⅰ. 저출산 해결방안

1. Presentation

저출산 해결을 위한

1.2.3 정책(가칭)제안

저출산 해결을 위한

1.2.3 정책을 소개합니다

Page 2

1.2.3 정책은 2030년부터

시작하는

Page 3

자녀가 있는 가정에

집값 걱정 없이

전세로 30년간

Page 4

안정적으로
살게 하는 게
주 목적입니다.

Page 5

대상가구는 해마다
30만가구입니다.

Page 6

1자녀는 59㎡

2자녀는 84㎡

3자녀는 114㎡

Page 7

이렇게 공급하는 것을

기준으로 하고 있습니다.

Page 8

모두 전용면적이며
공급면적이 아닙니다.

Page 9

1.2.3정책은
2030년부터
로봇이 노동을 통해

Page 10

받은 임금으로

아파트를 짓습니다.

Page 11

1자녀는 1대의 로봇으로

2자녀는 3대의 로봇으로

3자녀는 5대의 로봇으로

Page 12

노동으로 임금을
받는다는 의미로
1.2.3 정책이라고 합니다.

Page 13

그래서
해마다 30만
가구의 여러분들께

Page 14

안정적인 주택을

제공합니다.

Page 15

1.2.3 정책은

기존 임대주택같이

경쟁률이 거의 없습니다.

Page 16

2030년을 기준으로
태어나는 자녀를
기준합니다.

Page 17

30만 가구에
새 아파트 건설 시
해마다 210조가
소요됩니다.

Page 18

30년을 동일하게
시행할 경우
6,300조가 소요됩니다.

Page 19

2030년부터
시작되는 90만대의
로봇 노동수입은
연 10조 입니다.

Page 20

30년째가 되는
2059년 2700만대
모든 로봇 노동 생산
수입은 4,650조입니다.

Page 21

이것이 1기이고 2기인
2060년부터 2089년까지는
9,000조의 수입니다.

Page 22

2030년부터 2059년이 1기
2060년부터 2089년이 2기
입니다.

Page 23

참고로 2기에는
아파트를 새로 짓지
않습니다.

Page 24

정리하면 70년 이상의
수명을 갖는
새 아파트 매입은 6,300조

Page 25

1기+2기 60년간
로봇의 노동 매출은
전체 1경3,650조입니다.

Page 26

남는 금액은
7,350조가 됩니다.

Page 27

1기, 2기, 3기, 4기
이 정책은 연속성을 가지며

Page 28

기존의 세금운영이 아닌
새로운 방식의
해결방안입니다

Page 29

이 책은 이에 대한
소개를 하려 합니다.

Page 30

2.저출산 문제해결은 2030년부터 시작이다.

처음 시작은..

로봇으로 벌어다 주는 '수입'으로 자녀를 낳는 가정에게 아파트를 준다는 아이디어에서 출발했다. 누가 시켜서 기획을 한 게 아니라 본래 AI에 관심이 있어서 그쪽만 생각하다가 'AI를 통해 저출산을 해결할 수 없을까?'에서 답이 우연히 나오게 되었다.

적어도 내가 봤던 유튜브나 각종 SNS에 이런 결론을 가진 글이나 영상을 본 적이 없었다. 대부분 사람과 AI(인공지능)간 경쟁구도로 기술한 것만 봤다. 로봇의 사용으로 저출산은 가속되고 고령화에 대안이 필요하다는 내용이거나 또는 로봇으로 잠식된 일자리를 벗어나 새로운 일자리는 어떤 것이 있을 수 있을까? 라는 정도였다.

위에서 필자가 생각한 '수입'은 로봇(2족보행로봇 기준)이 근로/노동을 통한 임금이다. 로봇을 사용한 기업이나 개인에게 매기는 세금도 수입으로 포함한다. 로봇을 정부가 구매해서 필요한 기업에게 1unit당 월 100만원으로 렌탈하는 것이 골자이다. 그래서 로봇이 벌어다 주는 수입으로 정부는 로봇 임금을 운용하여 아파트를 짓고 출산 가구에게 30년간 전세공급하는 아이디어다. 필자가 생각하는 시행 연도는 2030년부터라고 생각한다. 2030년은 테슬라 옵티머스 출시 후 3년되는 시점이기 때문이다.

본래 아이디어 초안은 1.2.3정책(가칭)으로 출발했다. 1자녀는 1unit, 2자녀는 3unit, 3자녀는 5unit의 로봇으로 국가가 구입해서 필요한 기업, 자영업자에게 렌탈하는 것이다. 그러면 산술적으로 1자녀 가정은 월 100만원, 2자녀 가정은 월 300만원, 3자녀 가정은 500만원을 가져가는 구조의 아이디어였다. 여기서 언급한 로봇은 2족보행 로봇만 해당하는 것이었다. 아직은 먼 이야기 일수도 있지만, 상황을 보니 느긋한 상황은 아닌거 같다는 생각이다.

현재 노출된 2족보행 로봇 중 테슬라 옵티머스가 가장 발달된 형태라고 판단된다. 중국의 GR-1, Figure AI도 있다. 보스턴 다이나믹스의 로봇도 자동차 부품을 정리하는 수준으로 까지 발전했지만 이 책에서는 옵티머스를 기준으로 얘기하고 싶다.

현재는 2족보행 로봇이 아닌 다관절 로봇(바닥이 고정된채 여러 관절이 움직여 반복작업을 목적으로 하는 로봇)이 닭을 튀기는 수준까지는 대중화 되었다. '왜 대중화라는 표현을 했냐'면.. 지금 이 로봇은 월 100만원으로 렌탈이 된다는 뉴스를 접했기 때문이다.

한국이야기다. 국내 요식업 매장에 이용 중이다. 지금 로봇 렌탈 사업 시장이 늘고 있다. 치킨로봇 렌탈비는 110만원이고, 직원 월급은 200만원이다. 치킨 로봇은 다관절 로봇이고 매장에서 서빙하는 로봇은 휠로봇(Wheel robot, 주로 배송 및 물류용)으로 렌탈비는 월 40만원 수준이다. 다관절 로봇이나 휠로봇은 시장 초입에 있는 수준이기 때문에 세금을 논하기는 시기상조라고 생각한다. 그러나 2027년 테슬라의 옵티머스가 출시를 못박은 이상..

1.2.3정책(가칭)은 2030년 정도에 시작이 가능하다라는 게 필자의 판단이다. 사실 가능한 정도가 아니라 더 빨리 시행을 할 수 있을 정도로 제품이 세상에 나와야 한다. 단지 저출산 문제를 해결하려는 게 아님을 알아주기 바란다. 그 이유는 나중에 설명하겠다. 아울러 이족보행 로봇의 노동수입으로 2자녀 가정에 30년간 아파트를 지어 집 걱정 없이 살게 한다는 게 가능한 아이디어인지 이 글을 읽는 분께 평가 받고 싶다.

https://www.brilliantadvice.net/의 CFA로 활동하는 'Cern basher'는 1억대의 옵티머스로 테슬라가 렌탈사업에 대한 평가를 X.com에 남겼다.

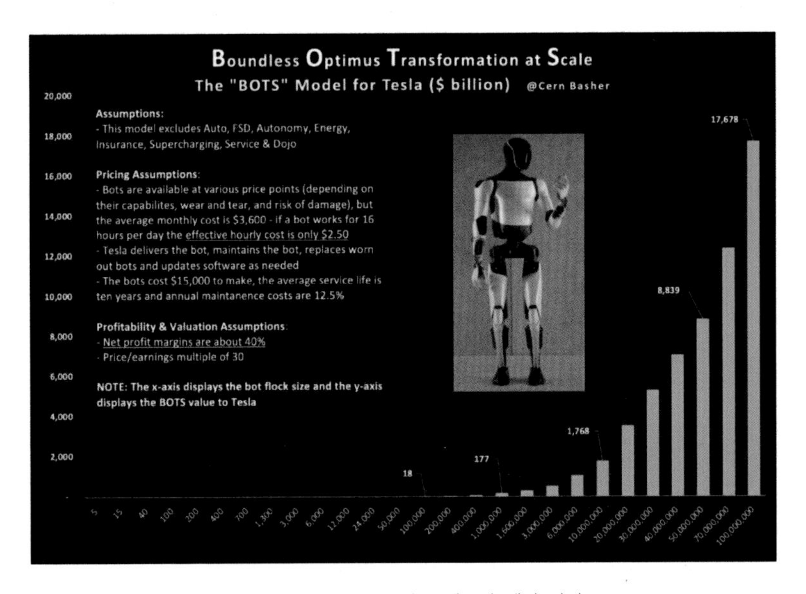

<옵티머스 생산규모에 따른 테슬라 예상 가치>

www.brilliantadvice.net

옵티머스 생산규모 테슬라 예상가치

위의 표를 보면 1억대 출하 시 테슬라 시가 총액은 2경4749조원으로 예상했다.

2024년 1월2일 기준 테슬라의 주가 총액은 7,786억달러, 한화로 1,090조이다. 1억대 출하를 2040년으로 예측하면 16년만에 주가 총액이 24배 오른 셈이다. 10억 unit size이면 25경원으로 뛴다. 이 말은 15년 이내에는 삼성이 지금처럼 반도체, 파운드리, 스마트폰에 머물러 있으면 세계 기업 순위가 아래로 확 밀려난다는 의미이다. 세계 100대 기업에 삼성의 자리가 없을 수 있다. 삼성은 대한민국 1위 기업이다. 삼성은 이러한 준비 없이 옵티머스가 2027년 세상s에 나오면 삼성의 Market share 0%가 된다는 의미이며 로봇이 할 수 있는 job이 많아질수록 경쟁력을 상실하게 된다. 마치 구글의 안드로이드 사건이 재탕 될 수도 있다. (안드로이드는 구글의 스마트폰 OS이다. 2003년 10월, 안드로이드 개발자 앤디 루빈과 그 팀은 투자유치를 목적으로 삼성을 맨처음 찾았다가 망신만 당하고 돌아왔지만, 구글이 그 잠재력을 알아보고 600억으로 매수한 사건이다. 삼성은 안드로이드 OS와 갤럭시 스마트폰으로 애플의 iOS과 아이폰에 대항 할 수 있는 기회를 날려버린 사건이다.)

일을 많이 할 수 있는 로봇은 즉 사람과 같아진다는 의미이다. 사람을 찍어내는 것과 같은 효과다. SK, LG를 포함한 국내의 모든 대기업도 마찬가지다. 국내 모든 기업에서 2족보행 로봇의 로드맵을 내놓은 기업은 아직 없다. 그렇다고 해서 필자가 테슬라 주식을 권장 하는 건 아니다. 오해는 말아달라. 참고로 캐시우드는 '테슬라 주가 2027년 2천달러를 간다'고 뉴스에 나왔다. 이 말은 10년 후면 1,000조원에서 1경원으로 된다는 의미다.

로봇이 버는 임금으로 30년 장기전세 아파트에 살 수 있는 자세한 숫자 얘기를 하기 전, 이쯤에서 먼저 언급할 것은 저출산을 해결하는데 '아파트만 주면 해결이 되냐?'는 이슈를 먼저 짚고 싶다. 필자는 상당한 부분에서 해결 가능한 것이라고 본다. 필자 혼자 생각이 아니라 많은 분들에게 물어본 결과이고 각종 조사자료를 통해 주거 안정이 가장 큰 문제라고 밝혔기 때문이다. 필자의 질문 내용은 어렵지 않다. '아이 둘 낳으면 전용 84㎡ 아파트 입주 30년 보장인데 어떻게 할래?' 이렇게 물어본 게 다다. 아이 한 명을 낳아도 30년간 전용 59㎡ 아파트 보장이다. 프랑스처럼 미혼모도 대상이 되어야 하며 다문화가정도 포함되어야 한다. 미혼모는 처음부터 쌍둥이를 낳을 수도 있다. 모두 지원대상이다. 그럼 이미 아이를 낳은 사람은 배제 하는 것이냐? 몇 살 아이까지 인정할 것이냐?

꼭 아이를 낳는 사람만 해당하는 것이냐? 노인과 장애인은 배제하는 것이냐?에 대한 대답은 이렇다.

2030년 기준으로 아이를 낳는 가정에 아파트를 30년간 약간의 보증금으로 살게 한다는 건 폭발적인 논쟁의 중심이 될 수 있다. 그러나 이거 하나만 생각하자. 우리가 받은 성적표는 0.6이고 2025년이나 2026년에는 무슨 숫자가 나올지 모른다. 2024년 서울 초등학교 입학생 수가 5만 명대라는 뉴스를 봤다. 필자 초등학생 때를 생각해보면 믿어지지 않는다. 이제는 한 반에 10명의 수준으로 낮아지는 꼴을 보게 된다. 30년 전이면 시골 초등학교에서나 봤을 법한 숫자다.

일단 우선순위는 아이를 낳을 신혼부부 또는 기존부부에게 혜택을 줄 거면 확실하게 주고 나서 그 다음 문제는 그 다음에 풀면 된다. 저출산의 문제를 지금처럼 느긋하거나 확실한 '떡밥'을 주지 못하면, 극단적으로 북한과 전쟁 났을 때 싸울 사람이 없는 것이다. 오히려 북한이 지금 한국보다 지금 출산율이 높을 수 있다. (이럴 때 북한이 출산율 1.5 정도 나온다면 정치인들이 '정신을 차릴까?'도 싶다.) 필자는 대상자 범위에 밖에 있는 그룹도 아파트는 아니더라도 당연히 혜택이 필요하다고 생각한다. 이 문제는 많은 사람들이 서베이 결과를 수집하고 디테일한 시뮬레이션이 필요한 법이다.

기존 LH공사나 SH공사의 임대나 분양 방법으로는 안 통한다. 안 통하니까 우리는 0.6이다. 다들 공감할 것이다. 지금의 청년세대가 빚(Debt)으로 출발하게 되는 민생은 우리의 미래가 없어지고 있다는 강력한 신호다. 2021년도 전체 학자금 대출 잔액은 7조다. 기성세대는 적어도 대학등록금 문제 반값이 아니라 거의 무상교육까지 도달 했어야 했다. 그들은 지혜를 더 짜 냈어야 했다. 아랫사람에게 맡기면 일이 진행이 안된다. 정작 중요한 건 자신이 풀었어야 했다. 그러나 지금 그런걸 따지고 싶지 않다. 그들이 못했다면 다음 세대가 책임지고 뭔가 해결을 하려는 노력을 하면 된다. 그래서 이제 해보자는 생각이다.

신혼부부 특공이나 자녀우선 주택공급, 내생에 최초대출, 신혼부부 전용 대출 등 '아무리 저리 대출로 꼬셔도 집 문제가 속 시원히 해결되지 않았다'라 생각한다. 하물며 출산은 또 다른 부담으로 여겨지기 때문에 집 문제만큼 선 순위로 해결해줘야 아이를 낳을 아빠 엄마들은 진짜 행동을 시도(?) 할 수 있기 때문이다. 내 남편 능력은 당연히 믿지만, 안정적인 살 곳을 마련한다는 건 정말 쉽지 않다.

이제 양가 부모도 노후를 생각해야 하기 때문에 섣불리 '집값에 보태달라'는 말이 어느 쪽도 쉽게 나오지 않는다. 신혼 집이나 혼수는 둘이 합쳐서 해나가야 한다. 신랑 쪽에게 집을 해오라고 보채는 건 어린애나 할 말이다. 1.2.3정책으로 '30년간 집 걱정 안 하게 해준다'는 숨은 의미는 '엄마의 기회를 아파트로 보상'한다는 의미이기도 하다. 아이 엄마의 경력단절의 가치를 30년 동안 아파트에서 아무 걱정 없이 살게 한다는 것이다. '아빠가 집안 일을 더 많이 했는데?'는 전제는 제외했다. 따지려 들면 한도 끝도 없다. 엄마기준이다. 필자가 엄마를 기준으로 삼게 된 주된 이유는 여성의 사회진출을 막은 남자 사회로 구성된 관례에 따르기 때문이었다. 필자도 다양한 회사에서 과장, 부장, 사장도 다 해봤지만, 여성을 채용하는 건 회사가 작으면 작을 수록 쉽지 않는 경향이 있다. 역할에 따라서 이력서를 보는 단계에서 일단 거른다. 작은 회사일수록 이런 경향이 짙은 편이다.

필자의 경험을 얘기하면.. IT 에이전시에서 근무했을 때 '웹디자이너' 채용 이슈가 있었다. '웹디자이너'는 여성 지원자가 많다. 실제 현업에서도 여성분들이 많다. 공고할 때 '파견 없음'이라고 문구가 있는 것과 없는 것에 지원자 수가 크게 차이가 난다. 포트폴리오 먼저 확인하고 면접을 보고 겨우 채용을 했다. 채용한 '웹디자이너'가 3개월 정도 잘 다니고 있는데.. 어느날 회의실로 불러 '3개월 파견'얘기를 꺼내는 순간 그녀는 나를 '성추행범'처럼 보기 시작했다. 짜증과 잔잔히 느껴지는 분노의 얼굴이 아직도 잊혀지지 않는다. 인센티브와 휴가를 약속해도 결국은 없던 일로 됐다. 기혼여성일수록 표정은 더 일그러진다. 아이가 있는 엄마 직원은 말도 못 꺼낸다. 안면 몰수 하고 그냥 '가세요!'라고 하면 귀한 인재는 바로 사표를 던진다. 이해를 못하는 게 아니다. 필자도 회사보다는 가정이 최우선이다. 그것도 '내 아이'의 문제다. 안전한 대한민국 사회라 할 지라도 잃어버린 내 아이를 찾는데 CCTV 화면으로 찾고 싶지 않은 건 엄마 뿐 아니라 아빠도 마찬가지다. 또한 유튜브만 봐도 여성의 사회진출은 '유리천장'이라는 한국형 허들이 존재한다. '유리천장'은 남자인 내가 봐도 여성들에게 많은 부문에 존재한다. 인식의 변화가 중요하긴 하나 회사의 입장은 출산과 양육을 하는 엄마 직원에게 노무적인 측면에서 보면 리스크로 볼 수 있다. 사실 그렇게 본다.

필자가 구상한 건 2자녀 가정(4인가족 기준)으로 입주할 때 1억9천만원에서 2억5천만원 수준으로 입주 보증금을 받고 30년이 되는 시점 퇴거를 하는 것이다. 퇴거 시에는 당연히 입주금을 돌려받는다. 30년 전세다. 2년마다 보증금 올려도 5% 미만일 것이다. 없을 수도 있다.

30년 후 퇴거 할 때 에는 다른 집을 알아보셔야 한다. 아니면 서울/경기 주택 상황에 따라 퇴거가 연장되거나 다른 조건으로 다른 주택으로 이동할 수 있다. 2자녀가 모두 장성해서 결혼해서 출가했다면 노년을 보낼 2인가구 주택으로 이동할 수 있다. 2인이 살기에 84㎡ 사이즈는 좀 큰 감이 있다. 아니면 이 기회에 '내생에 최초 주택마련'도 도전해 볼만 하다. 베이비붐 세대부터 X세대까지는 가장 많은 고령화 계층이기 때문에 집값은 2024년대보다 더욱 안정화되어 있을 것이다.

다시 돌아와서, 처음 1.2.3정책 구상 시 공급 아파트는 1자녀=59㎡, 2자녀=84㎡, 3자녀=114㎡이다. 모두 공급이 아닌 전용기준이다.

그리고 2자녀 기준으로 한해에 30만 가정까지 입주가 가능하게 끔 구상한 것이다. 가장 최근에 낳은 아이가 우선순위를 갖게 되는 것이다. 첫째를 낳고 시간이 많이 흘러도 둘째를 낳으면 입주자격이 생긴다는 의미이다. 본 저출산의 해결방안은 30년간 2자녀 가정을 계속 유지함에 방점을 뒀다. 물론 여기에도 제한해야 할 항목은 있다. 예를 들면.. 별도의 전세 담보대출은 이용 불가다. 이 공급 사업의 목적 중에 하나는 입주 가정이 부채를 없애고 자본을 모으는 것을 권장하기 하기 때문이다. 사실 의무에 가까워야 한다. (사실 정부가 집문제는 해결한다고 해도 사교육과 노후 문제가 남는다. 그러나 이것도 풀리는 지혜가 곧 나타나지 않을까 싶다.)

별도의 전세담보대출이 안 되는 이유는 간단하다. 입주 시 전세 담보대출로 들어오기 때문에 같은 담보로 대출을 잡아서는 안 된다는 의미다. 아울러 새로 지어지는 아파트는 정부가 처음에는 부채로 아파트를 지어야 하기 때문이다. 그리고 30년 후에 아파트 명의를 주는 게 아님을 미리 밝힌다. 명의를 주게 되면 미래를 담보한 '대출'을 쓸 가능성이 있기 때문에 이런 부분은 미리 막아야 할 부분이다.

다시 정의하면 30년 전세다. 2030년에 시행되면 2030년에 태어난 아이가 첫째 건 둘째건 셋째건 입주 자격이 생기는 것이다. 기존에는 임신 상태라면 커트라인 통과였으나 이 정책은 비상 상황이라는 암묵적인 소요((所要), 저출산 해결이 주 목적임)가 있기 때문에 복중 태아가 첫째이든 둘째이든 인정하지 않아야 한다.

현재 정부나 지자체는 출산 자녀를 위한 다양한 주택정책이 진행되고 있다. 인천은 1억까지 준다고 한다. 물론 일시금이 아니라 장기간 나눠서 지급한다고 한다. 인기가 있는 부동산 정책 그 중 몇 가지 꼽아보면.. SH공사(지역주택공사 포함) 및 LH공사의 신혼부부 주택이 있다. 특별공급, 임대형, 매입형 등등 정말 많은 유형으로 공급하고 있다. 지금 주택문제를 꼬집어 보자는 건 아니다. 다만 정말 다양한 주택이 저리로 공급되고 있다는 것만 알려주고 싶다. 더 자세한 건 LH공사, SH공사 등 홈페이지에 공고문을 보면 현재 현황을 잘 알 수 있다.

주택 걱정을 좀 덜고자 하는 모델로 꼽아보면 '20년 장기전세'로 들 수 있다. 2010년대에 1억~2억 수준의 전세 값으로 20년을 걱정 없이 48㎡, 59㎡, 74㎡, 84㎡, 114㎡ 등 다양한 유형으로 공급되었다. 처음에는 서울 변두리로 많이 지어졌으나 이제는 장기전세를 공급하지 않는다. 최근에는 조건을 바꾼 임대나 분양주택을 김포와 운정, 양주, 개봉 등 다양한 곳에서 지어지고 있다. 84㎡ 기준으로 4~7억 정도 분양가가 수준인 것으로 알고 있다.

필자도 운이 좋게도 20년 장기 전세에 10년째 살고 있다. 재산이 별로 없는 필자는 이 혜택에 감사함을 느끼며 살고 있다. 특히 전세보증금 사기 사건을 접하면서 더욱 더 느끼고 있다. 우리 아파트 단지만 해도 장기전세 입주자가 100가구가 넘는다. 모두 2자녀 이상이었다. 59㎡에 3자녀도 있었는데 그 집은 얼마 못살고 이사 갔다. 이와 같이 10년간 이사간 사람도 많았고 다시 추첨을 통해 들어온 가구도 있다. 2년마다 5%이내로 보증금을 올려주고 있다.

하지만 이 아파트를 당첨 받기 위해 결혼하자마자 엄청 노력했다. 지금 살고 있는 아파트도 포기 상태에 있다가 한밤에 인터넷 보다가 우연히 신청했는데 바로 당첨 되었던 게 아니라 예비자 2번으로 당첨되었다. 그래서 원래 당첨자는 4월 입주였고, 우리 집은 6월에 입주했다. 2014년일이었다. 이 책을 빌어 계약을 안 해주신 분께 감사 드린다. 새 아파트에 입주 할 때 정말 로또 맞은 기분이었다. 필자가 생각하는 저출산의 주된 이유는 뭐니 뭐니 해도 '집이 안정적이지 않다'는 점이라고 생각한다. 그래서 이 책을 쓰게 된 주된 이유이다. 그리고 앞서 말한 것처럼 대상자들에게 피부로 느낄 정도로 기성세대는 지혜를 발휘해야 한다. 쉽지 않아도 필자 같은 사람도 이러한 아이디어로 청년 세대들에게 지혜를 전하고 싶은 것이다. 청년들이 어느 정도 수준까지 돈을 벌어서 집값을 마련한다는 건 그들에게는 정말 질리는 일이다. 이 일은 저출산 문제에 출발점이라고 생각한다.

출산의 목적을 둔 지금의 정책은 세수에 기반했으나 효과는 보지 못한 것 같다. 필자는 이 책에서 말하고 싶지 않는 이슈가 있는데.. 그건 '아이를 맡길 곳이 없다'라는 전제다. 맞벌이, 여성 사회적 진출, 일이 좋거나 커리어를 유지하고 싶은 여성에 대해 필자는 아직 답이 없다. 필자가 여성이 아니라 경력 단절을 해결할 충분한 시간이 내게는 없었다. 다만 어떤 계기가 된다면 꼭 풀어보고 싶은 이슈다. 임신부터 시작해서 자녀가 중학교를 입학하고 취직을 위한 재교육까지 엄마는 적어도 15년은 가정에 집중하여 자녀를 한 사람으로 키워야 한다. 핏덩이를 어엿한 사람으로 키우는 일은 보통 일이 아니다. 오죽하면 뉴스에서 자녀를 포기하는 소식이 들린다. 우리 모두가 느껴야 하는 책임감이다.

SBS 드라마 '뿌리깊은 나무'에서 이런 대사가 나온다. 세종이 글을 모르는 백성의 문제에 온갖 짜증을 내는 상황에서 '너희들은 세 살배기 어린 애처럼 떼를 쓴다!'라고 말 못하는 나인 '소이'에게 호통을 치는 장면이 있다. 이 때 말 못하는 '소이'는 글을 써 올린다.

'그럼 키워야지요..'

이제는 우리 모두가 커나가는 아이에게 관심을 가져야 할 때이다. 사이드 기어가 풀린 어린이집 차에 치이는 아이가 없어야 하고, 팽목항의 울음은 과거 1번이면 족하다. 겨울 눈이 많이 쌓여 강당이 무너져 어처구니 없이 내 아이가 죽는 일은 진짜로 없어야 한다. 어른의 안이함으로 아이에게 그 어떠한 피해를 주지 말아야 한다.

그래서 지금의 청년세대부터 도움을 주자. 필자도 이 글을 통해 조금이나마 그 어떠한 도움이 되었으면 한다.

3.저출산의 사회적 책임

저출산은 이처럼 사회 모두가 낳고 키워야 하는 책임에서 이젠 벗어날 수 없다. 0.6이다. 어느 민주 인사는 이렇게 말했다. '인구수에 상관없이 이 세상에 태어난 사람들이 더 풍요롭고 자유롭게 살면 그게 좋은 거에요. 그리고 이미 태어난 사람들이 살기 좋은 사회를 만드는 것'라고 언급했다. 필자는 이 말에 정면으로 반대한다. (참고로 필자는 이 말을 한 인사를 좋아한다.) 필자는 인구수를 유지해야 관점에서는 보수적인 입장이다. '이미 태어난 사람들이 살기 좋은 사회를 만드는 것'이라고 했는데, 기성세대는 영광과 부의 기회를 다 가져가고 지금 한창인 젊은 세대들이 아무것도 없는 기회에서 기회를 가지라는 건 말도 안 된다고 생각한다.

그리고 어느 학자가 '대한민국의 1960년대는 3,500만명이니 그 수준으로 낮아져도 된다' 라고 한다. 그러나 이런 인식은 지금의 대한민국의 상황과 맞지 않는다고 생각한다. 아주 위험한 생각이다. 왜냐하면 첫번째로 1960년대보다 기업의 수도 늘어났고 일자리 숫자도 그 때와 비교 할 수 없기 때문이다. 한가지 예로 삼성전자나 SK하이닉스, 현대자동차와 같이 반도체와 자동차와 같이 월드베스트 상품이 그 때는 없었다.

선진국 지위의 한국은 5,000만이라는 인구가 만들어낸 성적표다. 반도체나 자동차산업은 막대한 인력이 상시 투입이 되어야 하고 이 바통을 이어 받아야 하는 인력도 상시 교육이 필요하기 때문이다. 조선업이나 다른 산업도 마찬가지다. 두번째, 인구 3,500만명이라는 숫자는 북한과 대치하고 있는 군사적인 측면에서도 좋지 않다. 개인적으로 북한의 인구가 2,500백만명이라는 숫자를 믿지 않지만 우리나라 인구가 3,500만명으로 떨어지는 건 여러모로 별로 좋은 숫자가 아니다.

필자의 생각으로 출생자 수는 매년 60만명 수준을 유지해야 지금의 한국을 여러 분야에서 유지할 수 있다고 생각한다. 그렇다. 대한민국을 유지하는 건 사람 중심이 되어야 한다. 꼭 단일민족을 유지 목적이 아니라 지금의 기성세대가 앞으로 태어날 세대에게 책임을 다해야 하는 사명을 가져야 한다는 점 때문이다. 그래도 우리의 아버지 세대보다 덜 고생한 세대가 지금의 기성 세대다.

또 하나 짚고 싶은 건 우리나라 교육이 변화해야 한다는 점이다. 이 변화는 우리나라 정규 교육을 손을 봐야 하는 것이다. 초중고, 대학교까지도 그렇다. 도덕이라는 과목은 고등학교 과정에서 현실에 부합하도록 보다 세련되게 업데이트 되어야 한다. 한국 사회는 지금 교육정책을 보다 더 적극적으로 바꾸려는 노력이 필요하다.

여성도 국방의 의무를 다하는 징병제를 논하는 건 아니지만 적어도 교과서에서 적극적으로 군대의 필요성과 입대를 고민하게 할 수 있는 내용이 필요하다. 예를 들어 현재 한국의 여성들은 북한의 핵폭탄이 한국 땅에 투하 시 어떤 식으로 대처 할 수 있는지 잘 모를 것이다. 폭격이 예상되면 어디로 피해야 하는지 방사능 낙진이 몇일이 지나야 가라앉는지 실제 전쟁 발발 시 어떤 물건을 챙겨서 피난을 가야 하는지 등 생존에 필요한 교육 필요성을 말하는 것이다. 나를 도와줄 남자가 없는 상태에서 자신이 어떻게 생존하는 방법을 말하는 것이다. 아울러 전쟁 상황을 가르쳤다고 해서 'Korea Risk'가 커진다는 발상은 어처구니 없는 생각이다. 북한이 이 세상에 없더라도 '로그네이션(Rogue nation : 테러, 불량국가 등)'이나 지진과 같은 천재지변은 국경을 가리지 않는 법이다.

물론 남자도 가사에 대한 교육도 필요하다. 군대에서 복무기간 동안 청결에 대한 생활을 했다고 하나 여성과 결혼 시 남자로서 갖춰야 할 기본적인 소양은 생각보다 넓고 깊다고 생각한다. 이는 자녀들을 실제로 낳고 기른다고 가정했을 때 무뚝뚝하거나 폭력 및 폭언으로 가정을 다스리려는 형태를 고쳐야 한다는 점이다. 자녀는 부하가 아니라 사회에 일원이 되기 위한 사람으로 성장시켜야 하는 점을 부모가 책임져야 한다는 말이다. '니가 사람이냐!?'라고 말하는 부모가 실제로 아동학대로 형벌을 받았다.

또한 다 큰 어른은 교육을 별도로 받을 시간이 없거니와 학생일 때 정서적인 교육을 통해 나 자신 말고 나의 배우자와 다음 세대를 길러야 하는 교육이 필요한 것이다. 또한 부모라는 깊고 넓은 책임감의 소양교육은 수능에 포함해야 할 정도로 중요한 사안이다. 남자도 여자도 모두 해당되는 문제다.

즉 간단히 말해서 부모가 되는 방법을 어릴 때부터 가르쳐야 한다는 말이다. 가정 문제는 결국 사회 문제로 이어진다. 내 가족만 챙기는 것이 아니라 예전의 '이웃'을 다시 챙기는 문화를 살려야 한다. 우리가 진정으로 배워야 하는 건 '인물의 성품을 높이는 것이 제일 중요하다'라는 점을 우리 모두가 알고 있기 때문이다. 실제로 스펙이 조금 떨어져도 기업에서 원하는 건 성실하고 성품이 좋은 인재를 찾는데 많은 시간이 들어간다는 것이다. 기업의 오너나 인사담당자가 시간을 줄여야 그 다음 이익을 창출하는데 더 많은 시간을 쓸 수 있는 것이다.

더 나아가 일률적인 교과 과정의 전면적인 수정이다. 우리나라에는 지금도 중졸자, 고졸자 결혼 가구가 있다. 적지 않다. 2022년 15~19세 여성 청소년 인구 1,000명당 출산율은 0.4이다. 같은 해 25~29세는 24.0이다. 비율로 따지면 미성년 출산율은 1.7%이다. 너무 적다고 무시하지 말아야 한다. 한명 한명 모두 소중한 우리의 아이들이다. 미성년이라서 낳아 놓고 아이를 포기할 수도 있지만 사회는 이들이 자리를 잡고 소득을 올릴 수 있도록 준비가 되어 있어야 출산율이 올라갈 수 있다고 본다. 정부가 미성년자가 출산을 했다고 해서 손가락질 할 수도 없고 그래서도 안된다. 다른 사람들과 동등하게 복지의 대상일 뿐이다.

아울러 엄마/아빠가 고졸자인 이유로 고소득의 기회를 얻기란 쉽지 않다. 이는 우리 모두 지나쳐버린 관례다. 이는 아주아주 중요하다. 고졸자가 기회를 잡는 건 여성이 회사에서 겪는 유리천장 보다 더 두껍다. 고졸자가 고소득 직장인으로 자리잡기 위해서는 고등학교를 졸업한 후가 아니라 고등학교 전에 이미 교육이 어느정도 되어야 한다는 것이다. 사실 일반 행정 사무직의 경우 영어만 어느 정도 한다면 대기업에서 충분히 행정직으로 일을 할 수 있다. 우리나라의 행정직은 모든 기업과 모든 공직(공기업 포함)에서 채용하는 중요한 카테고리다.

고등학교에서 세무, 무역, 계약서를 위한 법무 등 실업계가 아닌 일반계 고등학교 과정에 포함한다면 오로지 대학 목표가 아닌 행정직을 목표로 하는 학생들이 적지 않을 것이다. 지금 이 글을 읽는 기성세대는 그게 가능하겠냐고 하겠지만 요즘 10대는 사회적인 이슈에 상당한 인사이트로 자기 의견을 피력할 수 있다. 우습게 볼 10대가 아니다. 공직의 경우 급을 나눠 허들이 아닌 파티션을 두는데 이런 것도 철폐해야 한다. 양극화나 사회적인 불신은 남을 못 믿는 것도 있지만 9급 공무원이 능력에 따라 나이나 서열이 아닌 능력제로 바뀌지 못하는 현실 때문에 불신이 조장된다. 자기는 대졸자인데 고졸자를 차별하는 짓이야 말로 '적폐'라고 생각한다. 대학 때 교수가 대학생이나 대학원생에게 심부름 시키는 짓도 이제 그만둬야 한다. 이념이 틀려서 '적폐'가 아니라 바로 이런 것이 '적폐'인 것이다. 이런저런 배경으로 고졸자로서 행정직이나 창업을 할 수 있는 인재로 길러야 한다. 대학의 장점을 무시하는 건 아니다. 권위도 무시하지 않는다. 그러나 대학만이 살길이며 권위를 가르치는 환경을 못 바꾼다면 지금의 사회문제를 계속 연장하는 일일 뿐이다. 인공지능 시대에는 로봇을 잘 쓸 수 있는 상상력을 가진 사람이 부를 가져가는 시대가 오기 때문이다.

공부를 잘하는 어떤 학생이 법대나 의대에 뜻이 없다면 사회는 다양한 길이 있음을 제시해야 한다. 필자는 이를 '적성교육'이라고 부르고자 한다.

예를 들면 IT실무(HTML, DB Query, 파이썬, Pearl, R, SPSS 등), 마케팅 기법 등 대졸자가 배우는 과정의 난이도를 생각해보면 고등학교에서 충분히 소화가 가능한 학과 과정이 많다고 생각한다. 참고로 PHP언어(인터넷 서비스를 만드는데 주로 쓰는 프로그래밍 언어)로 게시판을 짜보면 서버와 클라이언트 개념을 확실히 이해를 할 수 있어, IT환경 기반의 업무에 큰 이해가 된다. 그리고 좀 더 깊은 경제나 경영수업을 고등학교에 배운다면 고졸자가 창업 시 시간과 돈을 엄청 단축시킬 수 있다.

예를 들어 고졸자가 여러 투자자 앞에서 투자 제안을 할 때 잘 작성한 SWOT분석(강점(strength), 약점(weakness), 기회(opportunity), 위기(threat))테이블로 PT(Presentation)한다고 가정해보자. 고교 3년간 경영을 공부한 고졸자가 자신이 발견한 사업아이템을 투자자들이 무시할 거 같은가? 아니다. 오히려 사업아이템에 대한 조언을 하지 '넌 대학 먼저 가!' 이렇게 말하는 투자자는 없다. 하나 더 예를 들어보자. 아마도 역사를 좋아하는 고등학생도 있을 것이다. 고고학을 가르쳐도 문제 없을 것이고 더 깊게 공부한 학생은 논문도 쓸 수 있게 가르칠 수 있다. 앞으로 발전될 고등학교 교육을 이야기 하는 것이다. 반드시 대학생만 논문을 써야 하는 법은 없다. 그 논문 성과에 따라 수능을 거치지 않고 대학교로 바로 입성할 수 있다. 어느 대학교수의 고등학생 자제분만 논문 저자에 이름을 올려서는 안된다. 올릴 거면 다 같은 기회를 줘야 한다. 공학이나 로스쿨, 의사로 진출하기 위해 모든 인문 고등학생들이 매달릴 필요가 없다는 건 말하고 싶은 것이다. '스타일난다'의 '김소희' 대표는 23살에 전문대를 졸업 후 창업해서 6,000억원에 해외기업 '로레알'에 매각을 한 사례도 있다.

고졸자가 창업을 해 100억 매출을 만들고 타 회사로 매각한다고 생각해보자. 그런 그가 국내외 대기업에 입사 원서를 제출했을 때 서류에서 커트 할 기업 담당자가 있을까? 있다면 그 직원은 당장 잘라야 한다. 미국 아이비리그 대학에 갈 수 있는 에세이를 이미 그는 만들어 놓은 것이다. 서울은 목동, 대치동, 중랑구 등 입시 학원에서 벗어난 교육 정책이 있어야 청년들이 아이를 가질 희망을 가질 수 있는 것이다. 한류 때문에 방송작가를 희망하는 10대도 많다. 작가를 키우는 과정을 고등학교에서부터 시작할 수 있다. '해리포터', '반지의 제왕', '듄' 같은 명작도 이들 손에 나올 수 있다. 감수성이 예민한 이 때에 명작이 나올 가능성이 크다. 서태지도 데뷔 때 20살이었다. 그의 최종 학력은 중졸이다.

이처럼 성공비즈니스의 모델을 학습시키는데 있어 가장 중요한 건 사례를 통한 비즈니스 모델에 대한 논쟁이다. 자신이 CEO가 되기도 하고 상대방 경쟁사가 입장도 되어보고 또 다른 상대방은 투자자, 구매자 입장이 되어 다양한 앵글로 토론을 해봐야 한다. 이런저런 사례와 대립각을 세우는 등 나의 이기심이 발동 되어야 큰 돈을 벌 수 있다는 점을 가르쳐야 하는 것이다. 기업이 왜 브랜딩을 하고 광고에 많은 돈을 지출하는지, 기업에서 영업, 재무제표, 기획, 총무, 생산 등 이런 역할에 대한 교육이 왜 있어야 하는지 가르쳐야 하는 것이다. 그래도 이해를 못하면 부모에게 물어볼 기회도 있는 것이다. 흔히 일진들은 돈을 좋아한다고 한다. 이런 교육을 받는 일진들이 과연 사고를 칠까? 하는 상상도 해본다.

과거는 분명 취업을 위한 교육이었다면 인공 지능사회에서는 그 무엇보다 상상력이 중요한 사회가 될 것임은 다시 한번 분명하다고 말해주고 싶다. 예를 들어 chatGPT를 통해 질의를 할 때 자기가 어떻게 상상한 질문에 따라 결과값이 전혀 다르다. 기존 검색엔진 쓰듯이 한 두 단어로 질의하면 결과는 포괄적으로 나오지만 문장을 디테일하게 질의 할수록 자신의 원하는 결과가 나온다. 이처럼 openAI의 '소라'를 통해 개인 영화나 유튜브에 올릴 shorts도 상상력에 따라 만들어지는 결과가 달라질 것이다. 결국은 비슷한 교육을 받은 사람들은 비슷한 방향만 바라본다. 비슷한 방향으로 보기 때문에 남들보다 우위를 점하려 출신을 나누는 것이다. 그것은 곧 그 사회가 다양하지 않고 단순하다는 의미이다.

4. 사람은 이기적이다.

얼마전만해도 청년 세대를 3포 세대라고 한다. 3포는 3가지를 포기하는 은어로 결혼, 연예, 출산을 포기하는 걸 의미한다. 5포는 내 집 마련과 인간관계를 더 한 것이다. 오늘날 7포다. 꿈과 희망을 더한 것이다.

이런 청년들이 불만하고 항의하는 것도 이전 세대가 누렸던 기회를 가지려는 당연하고도 자연스러운 이기심을 누리고 싶은 점이다. 필자 세대는 인터넷 광풍이 기회였다. 지금의 고령자 세대는 부동산 개발과 산업화의 기회가 있었다.

지금 청년들은 예전처럼 공부만 잘해서는 먹고 살 수가 없는 시대에 항의하는 것이다. 쉽게 취업이 되는 옛날 시절을 이해 못한다. 자신의 부모가 어떠한 삶을 살아왔는지 잘 안다. 정치적인 의견을 되도록 내고 싶진 않지만 '좋은 사회'라는 건 '유토피아'다. 이상일 뿐이다. 인류 탄생 이래 사회는 늘 숙제를 풀고 살았다. 아무 사건이 없는 순간은 '태평성대'라고 말은 할 수 있다. 하지만 늘 인류는 숙제가 있었다. 전쟁은 사람들이 풀어야 할 가장 큰 숙제인 것처럼 말이다.

지금의 청년세대들이 결혼과 출산을 기피하는 또 다른 경향도 기성세대와 달리 자신을 충족시키는 여행, 채팅, 게임, 유튜브, TV방송(케이블포함), OTT, 극장, PC방, 방탈출 카페 등 너무나도 많다는 사실이다. 그러나 이 사실을 바꿔 말하면 컨텐츠 바다 속에 청년들이 진취적이고 싶어도 방해하는 것들이 너무 많다는 의미이기도 하다. 필자가 젊을 때 98년도에 스타크래프트가 처음 나왔다. 어느 고시생은 5년을 죽도록 공부했는데 스타크래프트 때문에 고시를 망쳤다는 얘기를 들은 적이 있다. 공부할 때 SCV소리가 머리 속에 계속 들려 공부가 안된다고 했다. 기성세대는 화투나 포커, 당구, 무도장, 만화방 정도가 자신을 망치는 컨텐츠였다면, 지금은 컨텐츠의 넓이와 깊이가 마리아나 해구 수준인 것이다.

다시 돌아와서 기업은 사람에게 물건을 팔아야 한다. 서비스를 팔아야 판다. 하다못해 농부도 작물을 키워서 사람에게 팔아야 한다. 역삼각형 출산율이 지속되면 과연 누구에게 팔 건지 의문이다. 로봇의 임금으로 아파트를 제공함은 다양한 의미를 내포하고 있다. 먼저 2명의 청년이 아이를 둘 낳아 기른다는 건 산업적인 측면에서 시장이 늘어나는 일이다. 그것도 신생아가 노인으로 죽을 때까지 공산품을 쓴다는 너무 당연한 말이다. 그래서 유럽에서도 출산 가정에 대한 혜택이 좋은 것이 단지 세금을 많이 징수 해서가 아니라 국가의 근간이 사람이라는 근본적인 사회적합의에 의해 법이 세워진 결과라 볼 수 있다.

독일과 스웨덴의 경우가 가장 대표적이라 볼 수 있다. 이 두 국가는 양성평등이 보편화되어 있다. 그래서 육아를 전담하는 아빠도 흔하게 볼 수 있다. 회사에서도 아이 문제로 일찍 집에 간다고 하면 누구나 다 수긍하는 분위기가 잡혀 있다. 사람은 이기적이지만 서두에서 언급한 것처럼 상대방에 대한 존중이 드러나는 매너가 있어야 내가 같은 상황이라도 미안함이 덜한 법이다. 자기일 할 시간에 최선을 다하고 회사 일에 목숨 걸 문화는 점차 사라져야 한다고 생각한다.

그리고 한국 상황에 대입해 볼만한 유럽 사례를 보면 독일처럼 어느 정도 지적 수준 이상인 사람들에 한하여(고급인력) 이민 정책 허들을 확 낮추면 되지 않을까?싶다. 하지만 한국인의 저출산 곡선은 독일을 따라 해도 계속 내려 갈 것 같다는 개인적인 생각이 든다. 참고로 2030년 1.2.3 정책을 본격적으로 언급하기 전 국내 부동산 이슈를 짚어보고자 한다.

1. 2020년부터 고령인구의 사망화가 가속되고 있다.

2. 2030년 기준 1950년생은 80세, 2040년일 경우 90세가 된다. 2030년부터 베이비붐 세대의 사망자가 가속될 것이다.

3. 2023년 초 기준으로 아파트값이 하락하기 시작했다.

4. 재개발지역(목동, 중랑, 안양, 일산, 분당 등 주공아파트 및 1기 신도시)의 재개발이 아파트값 하락 심리로 정체되고 있다.

5. 2자녀 84제곱미터 기준으로 정부가 주택을 짓거나 매입할 때 서울/경기 기준으로 6~8억 수준까지 내려갈 것으로 전망한다.

6. 2030년에 사업을 시행할 때 서울 인기지역을 제외한 나머지 집값이 안정화되지 않을까 예상해본다.

7. 2020년 기준. 핵심5종(영구, 국민, 행복, 매입임대, 기존주택전세) 재고 현황은 133만가구이며, 이 중 LH공사 공급 호수는 114만가구이다.

물론 시간이 지날수록 위에 열거한 내용들이 틀려질 수 있다. 그러나 분명한 건 아파트 값이 오르는 주된 이유는 수요가 많으면 오른다는 사실이다. 장사도 마찬가지다. 수요에 공급이 못 따라가면 가격이 올라간다는 건 누구나 다 아는 사실이다. 저출산을 해결하지 못하면 공급이 수요를 앞지르는 상황이 계속 될 것이고 이는 10년 내에 바로 드러나는 사회 현상일 것이다. 제일 안타까운 건 '영끌'로 아파트를 마련한 사람일 것이다. 아마도 젊은 사람이 많다고 생각한다. 이런 분들에게 1.2.3정책까지 나온다면 '영끌'한 분들은 좌절로만 느끼지는 않다는 의견이다. 이런 분들을 위해 현재 살고 있는 아파트값 대비 대출 비율이 30% 넘는 가구도 1.2.3정책에 포함해야 한다고 생각한다. 물론 출산 가구 한정이다.

1.2.3정책의 최종 목표는 입주한 가정이 충분한 자본을 바탕으로 자신이 원하는 대도시나 지역으로 이사를 하는 것이다. 지금 임대주택이나 장기전세와 같은 공공주택은 5천만원도 안되는 빌라를 소유해도 즉시 퇴거하게 되는 시스템이다. 재테크를 치열하게 해야 하는 가정이 오히려 부동산 재테크를 못하는 상황이다. 즉 돈을 벌 수 있는 이기심이 막히는 상황이다.

그러나 필자는 국가에서 시행하는 주택 퇴거 조치에 대한 배경을 이해 못하는게 아니다. 임대와 퇴거 조건을 설계한 분들도 다양한 의견과 다른 어려운 가정을 한번이라도 더 좋은 혜택에 누리게끔 하는 주거 복지의 방향일 수 있다. 그러나 1.2.3정책은 수 많은 로봇들이 장기간 안정적으로 일하는 임금으로 운영하기 때문에 그 임금만큼 많은 수의 출산 가정에 혜택을 부여하는 정책이다. 기존의 경쟁률이 치열한 임대주택이 아니라 누구나 공평하게 입주 할 수 있는 권리를 가지는 것이다. 즉 가점이 아니라 출산에 방점을 둔 것이다.

그러나 퇴거를 할 경우 적은 보증금 그대로 들고 나가 다른 집을 알아봐야 한다면 제일 먼저 살림살이를 줄이거나 버리는 일부터 생각할 것이다. 왜냐하면 적은 평수로 갈 가능성이 높기 때문이다. 이런 이유로 퇴거 시 안정적인 주택으로 이사를 하기 위해 재산 증식에 대한 허용범위를 정하는 건 매우 중요한 일이다. 필자가 하고 싶은 말은 어느 정도 규모의 재산이 쌓일 때까지는 30년 입주를 보장해야 한다는 생각이다.

5.30년 동안 2자녀 기준으로

해마다 30만 가정(60만명)에 공급이 목표

이 책은 2자녀 가정을 기준, 매년 30만 가구에 30년 장기전세아파트 공급을 목표로 한다는 정책을 제안하는 책 임을 미리 밝힌다. 자.. 이제 저출산 해결을 위한 숫자 놀이를 슬슬 해보자. 아래의 표는 1자녀부터 3자녀까지 간단한 표를 나타낸 것이다.

자녀수	유닛수	Size	공급연수	보증금 (전액대출가능)
1자녀	1unit	59㎡	30년	1억5천만원
2자녀	3unit	84㎡	30년	2억5천만원
3자녀	5unit	114㎡	30년	3억5천만원

1. 아파트 짓는 비용 < 로봇 매출 = 적극적 추진!

2. 아파트 짓는 비용 > 로봇 매출 = 세수 투입!

3. 참고로 위의 보증금 숫자는 아직은 큰 의미 없다. 더 적을 수 있다.

2번의 경우는 로봇이 우리 사회에서 일하면서 벌 수 있는 노동임금이 2자녀 가구에 공급될 아파트를 짓거나 매입하는 전체 비용보다 낮으면 세수 투입이 필요해 목표 도달에 어려움이 있을 수 있다.

2자녀 가족이 처음 아파트 입주 시 2억5천만원의 입주금이 필요하다. 그리고 30년 후 정부는 다시 보증금을 돌려준다. 마음 같아서는 10억으로 불려서 노후까지 책임져 주고 싶지만 입주자께서는 30년동안 열심히 돈을 모아야 한다.

2자녀 기준할 때 30만 가정에 신규 아파트로 공급하면 해마다 210조가 소요된다. 그건 서울/경기 수도권 아파트 위주로 가구당 분양가를 7억으로 산정한 것이다. 이 숫자가 아마 가장 현실적인 숫자이기 때문에 7억으로 한 것이다. 단순 계산하면 해마다 210조 X 30년 = 6,300조가 저출생을 해결 위한 소요 비용(아파트를 짓는 비용)인 셈이다. 책을 접고 싶은가? 아직 할 이야기가 더 있다.

이제는 로봇의 매출을 보자. 2자녀 가족은 정부가 운용하는 로봇 수는 3대라고 했다. 대당 월 100만원이다. 3대면 월 300만원 매출이다. 1년이면 3,600만원이다. 즉 가구당 연 매출은 3600만원이다.

이를 가구당 3600만원 X 연간 30만 가구 = 10조 8천억원(로봇의 연 매출)이다. 1.2.3정책은 연간 30만가구 선발을 목표로 한다고 했다. 30년이면 324조원이다. 324조원는 90만대(30만가구)가 30년동안 만든 매출이다. 10조 8천억원을 계산하기 쉽게 연 10조원라고 하자. 그럼 324조가 아니라 300조원으로 계산해보자.

필자는 분명 30년동안 1.2.3정책 시행이라고 했다. 2030년에 처음 시행하니까 1차, 2031년 시행 2차, 이런 식으로 2059년째 30차면, 로봇 매출은 4,650조가 된다.

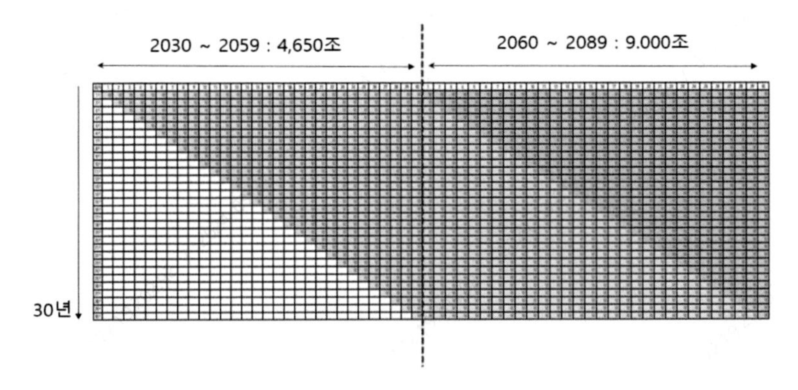

<매해 2자녀 기준, 30만가구가 30년씩 1기와 2기로 공급된다. 파란색은 1기, 주황색은 2기이다. 2030년부터 2059년에는 2,700만대 활동하며, 매출은 4,650조이다. 주황색 2기는 2060

년부터 2089년까지이며 매출은 9,000조이다. 위의 그림에서 가운데 빨간선을 기준으로 왼쪽 전체가 4,650조이고 오른쪽 전체는 9,000조이다. 가로 한 줄이 해마다 뽑는 30만가구이다.>

여기서 또 중요한 건 아파트는 한번 지으면 최소한 70년 이상 잘 버텨줘야 한다는 점이다. 그래야 2기 2060년도에 한번 더 2자녀 신혼부부를 받을 수 있다. 위에 언급한 아파트 짓는 비용 6,300조(210조 X 30년)가 save된다.

다시 말하면 최초 시행 후 30년째 즉 2059년에는 2,700만대가 활동을 한다. 그 매출이 4,650조(왼쪽)이다. 그게 2060년부터 2089년까지 2,700만대 로봇이 숫자가 변하지 않고 그대로 매출을 일으키면 9,000조(오른쪽)가 발생한다.

60년간 로봇 매출은 4,650조+9,000조 = 1경3,650조이다. 1.2.3정책을 60년으로 보면 1경3,650 - 6,200조(아파트값) = 7,450조가 남는다.

그리고 로봇은 딱딱한 금속 기계라는 점을 상기시켜주고 싶다. 기계는 유지보수가 필요하다 노동을 통해 파손된 부품을 교체할 필요가 있다. 일을 열심히 한만큼 Parts를 교체해줘야 한다. 컴퓨터의 적은 먼지(Dust)인 것처럼 로봇도 먼지나 예상하지 못하는 정전기로 로봇 운용에 방해가 될 수 있다. 아니.. 될 수 있다가 아니라 된다. 로봇 단가를 3천만원으로 잡을 때, 계산해보니 가구당 4억이 남는다. (정확히는 408,333,333원이다.) 이를 로봇 단가로 나누면 14번의 로봇 교체 횟수가 나온다. 로봇 수명을 5년으로 잡으면 4억이라는 금액은 68.06년이라는 로봇 사용기간이 나온다. 즉 68.06년은 1.2.3정책으로 2번(60년) 입주자를 받을 수 있는 근사값이 나오는 것이다.

정리하면, 30년간 30년 장기전세 아파트를 짓고, 60년간 3,600만명의 출생자가 태어나며, 60년간 7,450조로 로봇을 안정적으로 교체 및 유지보수를 한다는 의미이다. 세수가 투입되지 않는다는 것이다.

6.아파트를 한번 지으면 60년동안 2번 받을 수 있다.

앞서 언급한 것처럼 정부가 로봇 유지보수를 세금으로 충당할 수 있다면 30년을 모두 채운 가정에게는 4억 수준으로 보증금을 불려 줄 수 있게 된다. 그러나 진짜로 이렇게 정책을 정해버리면 막대한 세수가 빠져나갈 수 있다. 미래의 일을 '이렇게 하면 별일 없겠지..'하고 기획을 해버리면 항상 그 반대의 상황이 발생한다. 실제 기획 단계에서 아무리 시뮬레이션을 잘해도 실 수행 시 전혀 생각하지 못하는 사건으로 비용이 치솟는 결과가 있을 수 있다는 건 회사를 다녀본 사람이라면 누구나 공감하는 일이다. 굳이 회사가 아니더라도 식구들끼리 외식을 나가도 생각지 못한 돈이 지출되는 법이다.

여기서 변수는 보증금, 로봇의 브레인인 AI 클라우드 비용, 로봇의 시간당 최저임금, 유지보수비용, 실제 로봇 운용 주기(과연 5년일까?) 및 로봇 교체 횟수, 기타비용 정도 된다. 아울러 지금의 1.2.3 정책을 한다고 해도 로봇이 얼마나 산업현장에서 렌탈 할지도 미지수이다. 1.2.3 정책은 반드시 산업현장에서 로봇 노동 수입 그래프가 우상향(↗)으로 되는 걸 확인 한 후 시행되어야 한다. 로봇은 승용차가 아니라 포터와 같은 범용성에 기반한다. 그래야 기업이 필요에 의해 마음대로 사용 할 수 있게 해야한다.

1.2.3정책에서 발생하는 로봇의 임금은 세금(로봇세, TAX)를 포함하지 않았다. 정부가 운용하니 세금이 없다. 로봇세는 1.2.3정책 그 외의 로봇(다관절, 휠로봇 등)에게 일정한 세금을 붙이는 것으로 생각했다. 휴머로이드 로봇의 임금으로 저출생의 솔루션이 될 수 있다고 한다면, 다관절 로봇이나 휠로봇의 로봇세로는 사회문제(국민연금, 무상대학등록금 등)에 상당 부분 대응할 수 있으리라 생각한다. 그리고 필자는 앞서 언급하긴 했지만 1.2.3정책은 가급적 세수와 PF를 쓰지 않는 걸 고려한 것이다.

이에 대한 참고 자료로 테슬라 옵티머스로 렌탈 사업을 예상운영매출 자료가 있다. 아래 표는 한글로 번역한 것이다.

테슬라 옵티머스 모델로 예상 운영매출(렌탈사업)

기본 가정 시($)

1. 렌탈 운영 연간 매출(1기 기준)

한달 간 평균 매출	1,200	$
하루 근무 시간	16	시간
월 근무 시간	480	시간
한달 근무 시 시간당 매출	2.5	$
년 근무 시간	5,760	시간
연간 로봇 1기당 렌탈 매출 ①	14,400	$
한국 환율로 변환 시(달러당 1400원)	20,160,000	원

2. 운영비

제작비용 (한화2100만원)	15,000	$
로봇 가동 연수	10	년
로봇1기당 연간 자본비용 ②	1,500	$
연간 유지보수비용율(%)	12.50%	
연간 유지보수비용(12.5%/제작비용) ③	1,875	$
기타 수익비용율(%)	10%	
기타 수익비용(10%/연간로봇렌탈수익) ④	1,440	$
수익비용 (②+③+④)	4,815	$

3. GP(groth profit)

수익 (①-②-③-④), ⑤	9,585	$
수익율(매출-운영비용)(%) (1-(⑤/①)	67%	

4. 관리비

일반관리/연구(%) ⑥	12%	
일반관리/연구비용 (①*⑥), ⑦	1,728	$
운영비 차감 후 수입 (⑤-⑦), ⑧	7,857	$
운영비 차감 후 수입 비율(%)	55%	
렌탈 사업자 세금율(%) ⑨	25%	
렌탈 사업자 징수 세금 (⑧*⑨), ⑩	1,964	$

순이익 (⑧-⑩), ⑪	5,893	$
순마진율(%), (⑪/①), ⑫	41%	
연간 수익(원화환산, ⑪*1400원)	8,249,850	
세금25% 포함 시 연간수익 (⑧*1400원)	10,999,800	

여기서는 안 나오지만 '일론 머스크'는 옵티머스의 예상 판매 가격을 2만 달러 수준이라고 했다. 물론 목표 금액일 것이다. 우리나라 돈으로 환산하면 3천만원에 가깝다. 그래서 2자녀 보증금을 2억5천으로 한 이유는 최소 건설비 부담과 3대 유닛의 구입 시 대당 3천만원 정도로 책정해서 그 보증금으로 로봇을 구입하려 했기 때문이다. 2자녀 기준 2억 5천만원 중 9천만원은 로봇 3대 구입비용이고 나머지 1억 6천은 아파트를 짓는데 필요한 금액으로 책정한 것이다. 2자녀 가정이 이 보증금을 내는데 부담된다면 더 적어질 수도 있다.

그리고 위의 표에서 눈 여겨 봐야 할 건 이 표는 미국에서 진행될 렌탈 가격표라는 것이다. 렌탈을 했을 경우 ⑪의 순이익은 세금 25%를 제외한 순수익이라는 점이다. 한화로 연간 약 830만원이다. 세금을 공제하면 월69만원 수준이다. 그럼 이전에 1.2.3정책에는 세금을 포함 안 한다고 했으니 25%를 추가하면 어떻게 될까? 연간 1100만원이다. 월 92만원 수준인 셈이다. 1.2.3정책의 100만원과 유사하다. 8만원 차이다. 환율을 감안하면 거의 같다.

같다는 의미를 다시 간단하게 정리하면 미국의 로봇 렌탈 사업자가 세금과 자신이 돌아가는 수익을 더한 금액이 한국에서 1.2.3정책의 로봇 노동 임금과 비슷하다고 하는 것이다.

다시 말하지만.. 세상이 생각대로 움직이면 얼마나 좋겠나 싶다. 이 표를 작성한 미국의 'Cern basher'(CFA, 국제재무분석사)도 나름 Financing tool이나 현재 미국 로봇 렌탈 사업모델을 비교했으니 나름대로 근거는 있을 것이다. 물론 이 숫자가 달성하기 위해 필자는 아직도 할 이야기가 많다. 필자도 희망 회로만 돌리지 않는다. 기획자 출신으로 가장 경계해야 하는 덕목이다.

그리고 위의 표는 옵티머스가 16시간을 노동한다고 가정했다. 그러나 이

건 실내 작업을 기준으로 하는 것 같다. 현재 기술로 배터리는 로봇의 체적을 감안할 때 4시간 이상 구동하기 힘들어 보인다. 아마도 실내용으로 로봇 어딘가에 플러그를 꼽아 사용하는 걸 전제로 했을 것이다. 그런 모습은 '에반게리온'을 상상하면 되시겠다. 플러그를 뽑아도 우리의 옵티머스는 5분 이상은 충분히 버틸 것이다.

그리고 또 하나 눈 여겨 봐야 할 항목이 있다. 옵티머스 구동 연수가 10년이다. 2027년에 나올 옵티머스의 소재가 노동을 해야 하니 튼튼하게 만들 테지만, 로봇에게 인간과 같이 세포 복구 기능이 없기 때문에 10년의 숫자는 아닐 것 같다. 중장비인 포크레인도 하루 16시간 구동하면 10년은 못 버틸 것 같다. 필자 생각은 정말 길어야 5~7년이다. 감속기, 엑추에이터, 베어링, 모터, 센서 등 로봇은 RC카 같이 단순한 게 아니기 때문에 박스를 뜯고 전원이 들어간 순간부터 중고차 같이 생각해야 한다. 여기까지가 미국 렌탈 사업의 한 예이다.

1.2.3정책이 전체적으로 해볼만한 사업이라고 해도 2자녀를 낳는 건 가정 개별적인 이슈이기 때문에 30년 만기 퇴거 시 보증금을 불려주는 것도 고려해봐야 한다. 왜냐하면 2자녀 시 84 ㎡ 30년간 아파트에 살게 한다는 조건을 내걸어도 맘에 안들 수 있다. 그러면 노후에 어느 정도 도움이 될 인센티브를 챙겨주는 건 안될까? 아니면, '처음부터 30년을 살면 4억이 불어나니 세대주가 직접 유지보수를 담당하면 괜찮을까?'하는 구상도 해본다. 왜냐하면 컴퓨터를 수리할 정도 실력이면 로봇 유지보수도 해볼 만하지 않을까? 하는 필자의 뇌피셜이다. 하지만 이러니 저러니 해도 불만은 여기저기 나오기 마련이다. 하지만 걱정 마시라. 이 정책 제안은 세수나 부동산 PF를 쓴다고 하지 않았다. 아울러 2024년 1월에 발표된 양당의 저출생 정책과 1.2.3정책과 함께 돌봄지원, 영유아지원, 가정휴가에 대한 면밀한 정책을 더 한다면 한 층 더 두터운 저출생 해결방안이 마련될 것이라 생각된다.

7. 30년 전세 아파트가 싫다면

월 300만원으로 지급된다.

1.2.3 정책 기본 골자는 로봇이 노동을 해서 그 임금으로 아파트를 짓는 것이다. 지은 아파트에 출산 가정 먼저 입주시켜 금전적인 안정을 추구하는 것이 목적인 것이다. 그러나 자본이 충분하고 서울 중심권에 살고 싶은 가구가 있을 것이다. 즉 아이를 낳는 부담이 적은 가구일 것이다. 물론 그렇지 않은 가구도 많다. 물론 1.2.3 정책은 강제하지 않는다. 선택의 문제이다. 아파트로 사느냐? 돈으로 받느냐? 문제이다. 2가지 선택에 대해 장단점이 있다.

아파트를 받을 경우는 돈으로 받을 때와는 달리 재테크에 '유연하지 않다'는 단점이 있다. 그러나 돈으로 받을 경우는 상황이 달라진다. 필자는 2자녀 기준으로 월 300만원이 로봇의 임금이라고 했다. 30년이면 2,700만대가 매월 일을 해야 한다. 여기서 발생할 수 있는 문제점은 로봇이 자이든 타이든 쉴 수 있는 때를 언급하고 싶은 것이다. 월 300만원을 30년간 계속 지급될 수 없는 상황. 즉 지급이 끊기는 상황을 2자녀 가정은 이해하고 승낙이 필요한 것이다. 이 상황이 몇 개월간 지속될 수도 있다. 세수로 이를 지급 할 수 있겠으나 그러면 세수에 막대한 지장을 초래할 수 있다.

다시 말해 30년째 이런 상황이 발생하면 900만 가정에 월 300만원을 지급 해야 한다. 이런 상황으로 세수를 투입한다고 했을 때 월27조원이나 소요된다. 6개월이면 162조이고 1년 324조원이 투입되는 셈이다. 세수로 해결할 사안이 아니다. 월 300만원이 아니라 최소한 월 30만원만 지급된다고 해도 연 32.4조원이 투입된다. 가능하다고 생각하지 말자. 또한 월300만원을 받기 위해 로봇을 정부가 구매해야 한다. 그럼 9,000만원을 보증금으로 맡겨야 하는 이슈도 있다. 이 책에서 필자 의도대로 쓸 수도 있지만 논란의 여지가 있어 기회가 된다면 시간을 충분히 두고 검토하고 싶다는 말로 마무리하고자 한다. 그래도 한가지 말하고 싶은 건 로봇의 임금이 돌아가는 1순위는 장기전세 아파트에 입주하는 가정에 먼저 배정되어야 하는 점이다.

한국에는 3대 지출이 있다고 생각한다. 보통 예산안은 크게 12가지 아젠다를 나눠 집행한다. KDI에서 배포한 2024년 예산안을 보면 첫째 보건/복지/고용(242.9조), 둘째 일반/지방행정(111.3조), 셋째 교육비(96.3) 예산이다. 네번째가 국방비(59.6조)이다. 예산이라는 건 각 부처와 기관에 근무하는 공직자의 급여와 운영비용, 나라장터를 통한 용역, 물품, 사업 발주 등을 포함한다. 그 중 저출산 예산은 복지비용에 포함한다. 과거 복지 비용이 2024년과 비교해도 저출산에 대한 뚜렷한 해결은 나오지 않는 상황이다. 사실 좀 더 깊게 생각해보면 전체 예산에서 복지를 제외한 예산이 충분하게 쓰고 그 다음에 복지 예산도 지금보다 훨씬 많아진다면 다양한 정책으로 저출산에 대한 해결을 할 수 있다고 생각한다.

필자가 60년간 1800만 가구에 혜택이 돌아간다는 건 다시 말해 1800만가구 X 4인 = 7,200만명을 수용할 수 있는 정책이라는 점이다. 지금 한국인구보다 2,000만명이 더 많은 숫자다. 그러나 이건 단순히 산술적이다. 시뮬레이션이다. 한 해에 60만명이 출생하는 것이 적정하다는 필자의 생각에서 출발한 것이다. 필자가 제안한 1.2.3정책을 2030년에 시행한다는 전제는 휴머노이드 로봇의 생산성이 한 사람을 능가하는 생산성이 나와야 시행 할 수 있다는 점이다.

2030년 시행 당시에는 현재 사람처럼 움직임이나 이해력이 부족할 것으로 예상한다. 그럼에도 불구하고 'AI Cloud - On device Robot'의 발전속도를 감안할 때, 그리고 2023년 출생자가 23만명 임을 감안하면 아마도 2030년에 16~18만명 수준으로 떨어진 출생자 지점에서 사업을 시작해야 할 것이다.

즉 처음부터 30만 가구를 짓는 게 아니라 점진적으로 출생자 수에 맞춰 아파트를 짓는 것이 타당하다고 예측하는 것이다. 아울러 2030년 시기에 연간 출생자 수가 20만명 벽이 무너진 것이라면 국가에 큰 비상 상황이라는 점도 알아야 한다. 그런 사유로 2030년에 시행해서 2035년

이후에 연간 출생자 수가 눈에 뜨일 정도로 높아질 숫자로 맞춰야 한다는 것이다.

그리고 그 시기는 로봇이 2024년 수준과 비교할 수 없을 정도로 움직임과 이해력을 보일 것이다. 다시 말하지만 1.2.3정책은 로봇이 산업현장에 투입되는 숫자, 즉 산업에 투입이 될 정도로 모션과 움직임을 확보해야 하는 것이다.

필자가 원하는 건 우리나라 산업계가 사람과 같이 로봇을 적극적으로 사용해서 중국의 가격경쟁력에 대응하기를 바라는 점이다. 아울러 적극적으로 로봇을 사용해서 거둬들이는 세수를 늘리는 것이다. 세수가 늘어난다는 가정하에 예를 들면 고령 암환자 모두에게 지멘스의 중입자 가속 치료가 가능하도록 의료 수가를 채울 수 있도록 한다거나 한국이 로그네이션에 대응하기 위해 국방비를 미국 수준의 하이테크화 할 수 있도록 늘리는 방안도 고민해 볼 수 있다.

국방 부분을 잠깐 언급하자면 미래의 국방비는 지금보다 늘면 늘었지 줄지 않을 것이다. 2024년 11월 트럼프가 대통령으로 당선되면 국방비는 더 늘어날 것으로 보인다. 사병 월급을 줄이자는 인터넷 여론도 존재한다고 본다. 그러나 이는 사병의 사기와 청년 복지 차원에서 엄중을 가지고 바라봐야 할 것이다.

참고로 군인 가정의 경우 자녀가 2년 정도마다 전학을 간다고 한다. 대기업과 같이 대학등록금 지원도 없다. 적어도 군인 자녀에 대해서는 1.2.3정책에 우선적으로 배정하여 제복을 입은 자녀의 안정적 교육 환경을 제공하는 것도 중요하게 생각된다. 이처럼 보건/복지/고용비는 1.2.3 정책을 시행한다고 해도 고령자, 장애인, 기초생활수급자 등 다양한 환경에서 돌봐야 하는 많은 사람들이 있다. 예를 들면 실제 있었던 '반 지하 자살사건'과 같이 우리 사회 사각에 놓여 있는 사람도 복지 예산을 제대로 반영하지 못한 측면도 있기 때문이다. 그들과 같은 사람들을 적극적으로 찾아내는 것도 예산이 투입되어야 하는 일이다.

1.2.3정책으로 월 300만원을 지급받는 가정은 아마도 전세아파트가 필요 없는 가정일 것이다. 1.2.3정책을 반대하는 부류도 '양극화'를 조장하는 이유로 반대할 것이라 생각한다. 즉 이미 집을 마련한 사람이 2자녀를 출생했을 때 균형점을 어디로 두느냐에 달린 문제이다. 1.2.3정책의 아이디어는 2자녀를 출생한 가정에 고르게 부의 배분을 하는 것에서 출발한 것이다. 다시 한번 말하지만 자녀를 출생해서 정부가 인센티브를 주는 의미가 아니라 위기 상황이 발생한 만큼 극단적인 처방을 한 것이다. 사실 필자는 1.2.3정책이 60년이 아니라 계속적으로 이어 나갔으면 하는 생각이다. 공산권 국가는 집은 나라에서 준다고 한다. 한국이 공산권 국가는 아니지만 최소한의 행복 추구를 위해 앞으로 가정을 꾸리는 사람에게는 전세집이라도 보장해줘야 하는 시대를 맞이해야 한다고 생각하기 때문이다. 이미 집이 있는 사람에게 전세집은 필요 없으니 돈으로 지급을 해줘야 한다는 평등함이 발동했다고 생각해 주기 바란다.

1.2.3 정책은 장기전세 집을 기준으로 한다. 분양을 하게 되면 당연하게도 30년 후 두번째 가정을 못 받는다. 1.2.3정책은 100년 대계를 바라본다. 지속적인 출산장려 정책의 핵심이 되는 심벌과 같다. 반드시 '전세'라는 대한민국의 특이한 부동산 관례가 있기 때문에 가능한 것이다. LH, SH, GH 등 지방주택공사와 같이 월세를 받아서 운영하지 않는 건 자녀를 가진 부모가 월세 부담을 덜어야 하기 때문이다. 월세는 곧 지출이다. 대출을 짊어진 것과 같다. 대출을 권하는 사회는 채무로 나라가 망가진다. 대출은 국가의 금융 규모를 키우지만 채무자는 아프기만 할 뿐이다. 이미 대한민국의 Debt 부담은 기업, 정부, 가계 모두 빨간 불이 들어온 지 오래다. 그나마 의료비, 가스, 수도, 전기 값은 사회안전 비용이 안정됨은 다행이다. 사람이 사는 데 가장 기본적인 생활 인프라에 부담을 느끼면 정말 우울한 마음을 느끼게 된다. 돈이 없어 전기세를 못내 TV나

전기장판을 사용할 수 없으면 심적으로 우울증이 오는 건 당연하다. 사람은 늘 희망을 가지려 하나 이처럼 작은 일로 범죄와 연결될 수 있거나 심하면 자신의 삶을 포기 할 수 도 있는 것이다.

8.교통환경이 개선 된다면

지방에 새로운 기회가 올 수 있다.

서울은 한국의 중심이다. 문화, 경제, 교육 등 거의 모든 영역이 집중되어 있다. 그것은 '정도전'이 한성(서울)에 도읍지로 정하고 조선왕조 500년과 일제시대, 그리고 현재까지 계속된 상황이다. 더 나아가 1953년 전쟁이 휴전 되고 본격적인 도시화가 되면서 지방에 있던 젊은이들이 기회를 찾아 서울로 상경했다. 그 결과 폭발적인 인구증가로 공립학교가 우후죽순으로 생겨났었다. 국민학교가 초등학교로 타이틀이 바뀌기 전에는 한 학급의 학생은 50명 밑으로 내려간 적이 없었다. 사람이 많은 만큼 경쟁도 치열해졌고 등용문인 서울대에 입학하는 것은 고향에 잔치를 벌일 정도로 큰 일을 해낸 것이다. 그 집만 잘한 일이 아니라 그 마을 전체의 경사나 다름 없었다. 사시 패스는 도지사가 직접 와서 축하할 만한 일이었다.

현재는 어떤가? 필자는 과거에 '과외중개어플'을 제작하면서 사교육 환경을 적나라 하게 조사한 적이 있었다. 여느 통계에도 나와 있지만 부모가 고등교육을 받는 경우는 자녀도 고등교육을 받는 경향이 짙다. 부모의 소득이 높을수록 자녀의 사교육비도 높다. 부모가 해외 유학을 했을 경우는 자녀도 해외유학을 자연스럽게 나가는 경우가 많다. 부모가 교육을 많이 받지 못해도 재산에 여유가 있다면 자녀는 해외유학을 손쉽게 경험해서 흔히 말하는 '스펙'을 쌓았다.

그러나 가난한 부모의 자녀는 이 또한 가난할 확률이 높다는 통계가 있다. 그 중 하나로 흔히 SKY대학에 다니는 학생 중 50% 이상은 국가장학금 신청을 하지 않을 정도로 부유한 부모의 자녀인 점이다. 그 이외에는 장학금이 꼭 필요하다. 장학금을 못 받으면 학자금대출로 가는 길이 대부분이다.

과거 필자가 2015년에 사업을 했으니 10년이 지났다. 그런데 특이한 건 분명히 학생수는 10년보다 줄었는데 사교육비 전체 비용은 늘었다는 것이다. 필자가 조사했을 때는 드러난 사교육비만 22조였다. 지금은 26조로 늘었다. 사실 현금으로 과외비 결제하는 것까지 포함하면 아마도 국방비와 비견될 것이라는 것이 필자의 생각이다.

대학 등록금까지 부모의 몫이라고 한다면 당연히 노후 비용이 없는 것이다. 참고로 20년 전 필자의 지인 딸은 고2 한달 과외비로 900만원이 지출되었다고 했다. 2005년 정도에 1년 과외비로 1억이 나간 것이다. 그 결과 딸은 서울대에 입학했으며 지인은 작은 집으로 이사를 해야만 했다. 그 집은 자녀의 과외비와 대학 등록금을 감안해서 이사를 한 것이다.

반대로 가난한 부모는 대기업이나 중견기업에 취업하거나 경험하지 못하는 케이스가 대부분이다. 소규모 업체 직원(하청업체)이나 자영업자 일 수 있다. 한마디로 잘사는 방법이나 사람이 잘 되는 방법을 목격하지 못한 부모는 자녀에게 그저 '그 일을 잘 해내거라!'라고 밖에 말하지 못한다. 친척이 잘살아도 잘사는 방법은 알려주지 않는 법이다. '입찰'을 경험하지 못한 부모는 LH공사나 SH공사의 임대주택이 있다는 것도 모르는 경향도 있다. 하루하루 바빠 임대주택 서류를 넣는 것도 시간이 없다. 하물며 한달에 돈 5만원이 없어 청약통장을 못 만들거나 1년이상 청약을 유지하는 것도 벅차다. 돈이 없으면 통장을 깬다. 왜냐하면 지금 당장 먹고 살 돈이 없기 때문이다. '아파트투유'(현재는 '청약홈')가 뭔지 모르는 어른도 많았다.

이런 가정은 경제적인 위기 가구다. 현재 우리나라는 기초생활수급자 제도가 있다. 월세나 전세에 사는 가정이 일정 조건을 충족하면 얼마간의 월세를 정부에서 지원하는 제도다. 자녀가 있는 경우나 청년 가구도 기초생활기준에 해당하면 지원을 받는다. 물론 주민센터에 신청하고 해당 구청 복지과에서 심사를 3~6개월 동안 심사하지만 통과된다면 삶에 정말 작은 숨통 정도는 틔워준다. 집 없는 노인 가구에는 더 없는 혜택 이기도 하다. 이러한 기초생활수급자 제도의 메뉴얼은 두꺼운 책 한권이다. 이 업무에 종사하는 공무원이나 공기업 직원은 거의 매뉴얼을 암기하면서 Case에 대응하고 있다.

기초 수급을 받는 가정은 대게 빚이 있는 경우가 많다. 필자는 이런 기초 수급 가구를 심사한 경력이 있다. 3년간 심사를 하면서 한 가지 확실한 건 신규 수급 가구가 끊이지 않고 계속 늘고 있다는 점이다. 보건복지부 자료에 의하면 1인가구 포함해 2022년도 기준 180만 가구이며, 수급자 수로 볼 때 245만명이 넘는다. 이러한 가구의 자녀의 부모가 사교육비로 얼마를 지출 할 수 있을지 감도 아마 안 올 것이다.

기초 수급을 제도에 혜택을 받는다는 건 부모 둘 중 한 명이 몸이 않 좋을 가능성도 높다. 부모 모두 몸이 멀쩡하면 사회제도에 대한 이해가 떨어지거나 지방에 거주하여 소득이 도시 가구보다 현저히 낮은 가구일 가능성이 많다. 이 점은 필자의 개인적인 생각이다. 모두가 그렇지는 않지만 한 가지 분명한 건 부모가 고정적 수입이 원활하지 않다면 자녀의 선택지는 생각보다 별로 없다는 것이다. TV에 나올만한 소질이 있지 않는 한 한국의 교육 현실은 오로지 대학만을 강요한다.

미대, 체육대도 마찬가지라고 생각한다. 대학 졸업장이 현재 사회에 주는 중요함을 모르는 게 아니다. 다만 기초생활수급자의 자녀가 대학 등록금 혜택이 많은 편이나 실제로 얘기를 들어보면 미대나 체육대, 공대, 의대를 제외한다면 고등학교 다닐 시간에 오히려 앞서 언급한 과정을 교육을 원한다는 의견이 있다. 마이스터 고등학교나 공업고, 상업고도 중요한 진로이나 많은 학생들이 인문계를 선택하고 그 중 30%만 대학교를 입학한다. 나머지 70%는 지방 대학이라도 가는 기회가 있지만 본인이 진정 뭘 원하는지 모르는 상태에서 지방 대학교나 재수를 선택한다는 점이다.

급여별 수급자 및 수급가구 현황

구분	계*	생계급여	의료급여	주거급여	교육급여
수급자수	2,451,458	1,566,570	1,438,045	2,260,783	303,383
가구수	1,791,727	1,242,549	1,126,712	1,628,643	206,078

*총 수급자 수 및 가구 수는 시설 수급자 포함. 각 급여별 중복을 제외한 숫자임.

<출처 : 보건복지부 2022년 국민기초생활보자수급자 현황>

또한 이런 가정을 포함해 흔히 중산층이라는 가정도 공통적인 문제가 있는데 그건 바로 자녀 사교육비와 부모의 노후가 큰 문제라는 점이다. 하나 더 언급하면 자녀를 부양하는 부모가 노부모를 부양하는 점도 있다. 현재만 그런 것이 아니라 해방 후 계속된 문제다. 기본적으로 집을 구하고 자녀를 사교육시키고 노후를 준비해야 하는 3중고가 부모를 피폐하게 했었다. 이 모든 걸 이겨냈더니 암에 걸려 희망만 쫓다가 한줌의 재로 사라진 부모들도 많다. 사실 지금도 현재 진행형이다. 현 시점 전후로 고령자로 돌아가신 분들은 묵묵히 소처럼 일만 하시고 평소에 많이 웃지 못하고 생을 마감하신 분들이 많다는 점이 개인적으로 정말 슬프다고 생각한다.

청년들이 이런 배경을 알고 있는 것일까? 결혼적령기의 청년도 결혼을 주저하고 아이 낳는 것을 기피하는 건 너무나도 당연한 결과다. 이미 청년들은 자신의 부모가 어떤 삶을 살았는지 겪어봐서 결혼과 출산을 주저하는 이유가 있다고 판단한 것 같다. 이런 이유로 필자는 집문제를 가장 우선순위에 두었고 사교육 문제를 그 다음 문제로 생각하는 이유이다. 가급적이면 청년의 노후도 해결해 볼 것이다.

기성세대들은 지금 세대가 옛날과 달리 놀게 많고 할게 많으니 배부른 소리한다고 한다. 최근에는 청년 때문에 나라가 이 지경이 됐다고 하는

명사도 있다. 이런 말도 안되는 말에 오히려 되묻고 싶은 심정이다. '청년이 무슨 자본이 있어 사회를 망가지게 한 게 뭐가 있었냐고?'말이다. 우리 기성세대가 조금만 더 노력하고 지혜를 발휘하지 못한 결과를 지금의 청년 세대가 힘들다고 하는 것이다.

우리의 자식들이 힘들다고 하면 아무 말 말고 '그 힘들다'는 새로운 숙제를 받아들이고 문제를 해결해야 어른이 아니겠는가?

서론이 좀 길었지만 필자가 언급하고 싶은 내용은 1.2.3정책이 안정적인 궤도에 오른다는 정치적인 판단이 있다면 지방에 새로운 기회가 열릴 수 있는 것을 알려주고 싶은 것이다. 지금은 과거와 달리 철도, 고속도로 뿐 아니라 근미래에는 항공 혁명이 곧 다가 올 것이라 본다. 개인 항공 체재인 UAV와 PAV가 그것이다.

이런 이유로 1.2.3 정책이 본격적으로 가동된다면 전라도나 강원도에 교육 도시를 건설하는 걸 추천하고 싶다. 첫째로 두 곳 모두 국제공항(양양공항, 무안공항)이 존재하면서 KTX가 뚫려있다. KTX는 두말할 것 없이 잘 운영되지만 2곳의 공항을 언급 한 건 현재 국제공항이면서 이용률이 현저히 적다는 점, 넓은 면적의 활주로가 있다는 점이다. 활주로는 UAV와 PAV가 뜨고 내리기 좋은 터미널이 될 인프라가 이미 구축된 것이나 다름없는 것이다.

<작가 macrovector 출처 Freepik, Designed by Freepik >

두번째는 영국형 기숙식 사립학교와 같이 국가차원에서 영어로 교육하는 기숙형 School Town을 지어 서울에 집중된 교육환경을 분산하고자 한다. 영어로 수업을 할 수 있는 수 많은 교사는 어디서 구하냐?라고 한다면 다행히 한류의 영향으로 국내에 한국어를 할 수 있는 원어민이 생각보다 많으며 한국 대졸자도 영어로 가르칠 정도로 생각보다 숫자가 많다는 점이다. 유튜브만 봐도 한국어를 할 수 있는 고학력 원어민이 많다는 것을 확인할 수 있다. 그들은 한국의 구성원이 되기를 원하며 그 숫자가 생각보다 많다는 점을 중요하게 봐야 한다.

물론 수도권과 떨어진 만큼 교사의 급여도 탄력적으로 운영할 수 있다고 생각한다. 예산이 충분하다면 미국이나 영국에 분교를 지어 다양한 프로그램을 진행 할 수 있다고 생각한다. 전국 학생 모두 대상이다.

<출처: https://www.archpaper.com/>

아울러 자녀와 엄마는 학교 근처에 1.2.3정책의 아파트에 거주한다. 아빠의 경우 회사가 수도권에 있을 때는 LH공사나 SH공사에서 진행하는 청년 임대 주택에 '아빠 임대' 카테고리를 추가해서 일정수준의 월세를 지원하는 것도 하나의 방안일 수 있다고 본다. 물론 4가족 식구가 같이 사는게 제일 좋은 시나리오다. 새로 생기는 스쿨 타운에 기존의 공교육에서 볼 수 없던 앞서 언급한 교육시스템과 접목할 수 있다면 지방 분산에 상당한 효과가 있을 것이다. 예를 들면 기존 교사는 정규 교과 시간이 끝나면 과외활동을 할 수 없다. 법으로 그렇게 되어 있다. 그러나 법은 필요해 의해 유연하게 대응 해야 하지 않을까 싶다. 1:1 과외가 아니라 5명 정도나 10명 정도 학교 내에서 학원 식으로 운영하여 교사에 인센티브를 부여하는 방법도 있을 것이라고 본다. 기존 대학진학을 위한 국영수 교과과정과 고졸자 '적성교육'을 같이 진행하자는 것이다.

<출처 : www.archiscene.net/>

추진 시에는 마을 규모가 아니라 도시 규모로 키워 초등학교(어린이집, 유치원 포함) 구역, 중학교 구역, 고등학교 구역으로 나눠 교육 기획도시와 함께 새로 짓는 전세 주택과 함께 운용한다면 수도권보다 더 나은 환경으로 아이들이 성장 할 수 있다고 본다. 전라남도와 강원도는 과거보다

도로 인프라가 개선되어 있어 바다 접근도 용이하여 수상 관련 교육 커리큘럼도 어린 나이에 경험이 있을 수 있고 무엇보다 자연 친화적인 환경과 낮은 지대(地代)로 인해 주택을 건설하더라도 덴마크와 같이 북유럽 주거 형태와 학교를 건설할 수 있지 않을까 싶다.

<출처 : www.archiscene.net/>

기존의 일률적이고 단편적인 학교가 아니라 디자인이 접목된 학교라면 수도권 학교와 경쟁을 해볼 만 하다고 생각한다. 이처럼 도심의 인구가 지방으로 이전될 수 있는 확실한 계기가 필요할 것이다. 자녀가 좋은 대학이나 좋은 미래를 그리기 위해 교육 경쟁이 필요한 건 자연스러운 일이다. 사람은 이기적이기 때문에 경쟁이 있는 건 자연스러운 일이다.

<출처 : http://hyundai.com, 하늘까지 확장되는 모빌리티, 현대자동차 월드와이드>

앞서 언급한 2027년도에 추진 중인 PAV(Personal Air Vehicle), UAM(Urban Air Mobility)과 같은 개인 항공 및 도심 항공 모빌리티 시장이 성장하려면 한국 내의 기러기 아빠부터 타겟을 삼아야 PAV/UAM 시장이 성장하리라 생각한다. 교육 도시가 기획된다면 인프라 시설인 쇼핑몰, 문화시설, 자영업 상가, 커뮤니티 등이 갖춰져야 할 것이다.

또한 PAV/UAM이 상업화 할 시점에는 1.2.3 정책이 근간이 되는 2자녀 가정이 대부분일 이유로 수도권에 근무지가 있는 아빠들이 이 항공 서비스를 이용할 가능성이 크다.

30년 후면 2,700만명이 이 새로운 도시들에 상시 거주하는 것이다. 전남에 2곳, 강원도에 2곳 총 4곳으로 분산하면 한 곳당 약 680만명의 광역시 수준의 도시가 탄생하는 것이다. 700만명 규모의 대도시가 새로 생겨 수도권부터 인구 분리가 현실화 될 수 있다. PAV/UAM은 아빠들이 주말에만 오고 가는 목적뿐 아니라 주중에는 엄마와 자녀들이 바닷가의 교육 목적의 수상 시설을 이용하는 측면도 크게 작용할 것이다. 다시 말하지만 양양공항이나 무안공항은 국제공항임에도 불구하고 PAV/UAM이 뜨고 내리기에 매우 적합한 장소다. 적합한 장소라고 하는 근거는

PAV/UAM을 이용하는 터미널로 이용한다고 할 때 이용객 수가 적은 공항이란 점 때문이다.

두 곳 모두 바다와 인접해 있어 미국의 플로리다처럼 세일링 요트(Sailing Yacht)와 스쿠버 다이빙 등 지금까지 서울과 차원이 다른 공교육이 이루어 질 수 있다. 축구, 배구, 농구, 육상, 발야구와 같은 종목에서 벗어나 잘하면 올림픽 전 종목을 경험할 수 있다. 물론 영어로만 교육이 진행된다면 제주도 국제학교 따위 부럽지 않을 것이다. 만약 이런 도시가 세워진다면 필자가 먼저 가고 싶다는 게 솔직한 생각이다. 서울은 사교육비가 너무 많이 들기 때문이다.

'그럼 서울은?'이라는 질문의 답은 다음과 같다. 1.2.3정책으로 주택이 수도권에 지어졌을 때, 결론만 말하면 현재와 같은 아파트 시설로 지어져야만 타산이 맞을 것이다. 한마디로 재건축과 지대 비용이 높은 것이 이유이다. 학교와 체육시설 등 기타 시설은 세수가 투입이 되어야 할 것이다. 그리고 수도권 아파트를 보유하고 있는 소유자와 집값 문제로 마찰도 있을 수 있다. 그러나 예산만 충분하면 기존 학원 위주의 교육에서 다양한 기회가 있는 학교로 바뀔 수 있다고 생각한다.

1.2.3정책이 30년 전세를 표방하는 건 제일 먼저 자녀의 양육과 교육 환경에 대한 높은 수준을 제공함에 있다. 결론은 로봇이 노동을 한 임금으로 단편적인 아파트가 아니라 정서적으로도 좋은 주택을 짓는데 자녀 뿐 아니라 부모에게도 다양한 기회와 희망을 제공함에 있다. 아울러 앞서 언급한 초중고의 교육 과정도 입시 교육이 아니라 고졸자가 사회에 얼마든지 진출할 수 있는 사회를 만들어야 한다. 거대한 도시에 탈 대학 위주의 교육 도시를 고려해보는 것도 해볼 만 하다고 생각한다. 앞서 언급했듯이 제조공장의 관리직도 대졸자가 굳이 필요 없다는 생각이다.

그리고 한가지 중요한 건 부모들의 시민의식과 타인에 대한 배려가 필요하다는 생각을 해보았다. 오래 전에 인터넷에 떠도는 이야기인데, 환경미화원이 거리를 쓸고 있는 모습을 본 2쌍의 엄마와 자녀가 있었다. A엄마는 자기 자녀에게 '너는 공부 열심히 안하면 더럽게 저런 일이나 하며 사는 거야.'라고 자기 자녀에게 말한다. 또 다른 B엄마는 자기 자녀에게 '네가 공부 열심히 해서 저기 열심히 일하시는 분들이 힘들지 않도록 해야 하는 거야.'고 말한다. 한 분은 비교를 말하고 한 분은 배려를 말했다.

< 출처 : www.freepik.com, Designed by Freepik >

한국은 그 동안 주입식 교육과 비교 경쟁을 통해 순위를 매겨왔었다. 현재는 조금 나아졌다고 한다고 하지만 1타 강사 연봉이 100억이 넘는 것을 보면 비교우위를 점하는 교육이 여전하다고 생각한다. 물론 현재 사회는 자본주의이며 경쟁사회라는 것을 모르는 바는 아니다. 그러나 고졸자가 대기업의 행정직으로 일할 수 있는 점을 지적하는 것이나 1.2.3정책으로 새로운 교육 도시와 아파트를 동시에 구축해보자는 의견에는 지금의 나의 아이나 미래에 태어날 나의 아이에게 당신이 겪었던 치열한 사

회에 태어나게 해야 하는가? 대한 원초적인 질문이 내포되어 있다. 지금처럼 의대 편향적인 입시 환경이 지속 된다면 1.2.3정책을 아무리 한들 무슨 의미가 있는지 모르겠다.

필자도 나름대로 고등교육을 받기는 했지만 사교육 시장이 바뀌지 않으면 저출산 문제해결이 안된다고 생각한다. 과거에 못했다면 지금부터라도 한국이라는 나라는 이제 바뀔 때가 된 것이다.

9.모든 국민의 자료를 Database에 올려야 더 발전된다.

'빅브라더'는 조지 오웰(George Orwell, 1903~1950)의 소설 '1984' 에서 비롯된 용어다. '감시하는 사회'라고 알고 계신 분도 있겠지만, 네이버 검색을 보니 '긍정적 의미로는 선의 목적으로 사회를 돌보는 보호적 감시, 부정적 의미로는 음모론에 입각한 권력자들의 사회통제의 수단을 말한다' 고 지식 백과에 나온다.

4차산업이 아니라도 우리나라는 이미 주민번호 체계와 발달된 CCTV 세상에 살고 있다. CCTV 체계는 범인검거에 1등공신이며, 주민번호 체계로 청약 주택 선발 시 업무시간을 획기적으로 줄이게 되었다.

LH공사나 SH공사의 경우 '행복e음'과 가구원의 소득 정보, 금융재산정보, 주식보유정보를 면밀히 검토 후 대상자를 선발할 때 임대주택이든 분양주택이든 가구 원의 소득을 1순위로 반영하기 때문이다. 월 1억씩 버는 가구보다 월 200만원 밖에 못 버는 가구가 안정된 주택에 먼저 공급 해줘야 하는 데 이러한 DB로 작업시간을 획기적으로 줄이게 되었다.

이처럼 사회 약자에게 사회시스템이 발동하는 것은 국가를 운영하는데 중요한 덕목이다. 한국은 자본주의 사회다. 자본주의 사회로 발전함에 따라 많은 기관은 DB를 조회하는 모습을 보인다. 기술이 발달함에 따라 전통적인 자본주의도 많이 바뀐 모습이다. 30년 전만 해도 이 정도 수준까지는 아니었다. 이 모두 우리의 앞선 세대들이 열심히 경제 시스템을 고도화 했기 때문이라고 생각한다. 그들은 사회적인 책임을 다하려는 모습에 최선을 다했다.

그러나 경제는 어려움에 빠지기도 한다. 우리도 그랬다. IMF는 경제에 최선을 다하려는 모습에 너무 무리한 차입을 자유롭게 썼다. IMF를 잘 모르는 분은 영화 '국가부도'에서 주인공이 자세하게 프리젠테이션 하는 장면이 있으니 보시기 바란다. 영화에서 주인공은 해외은행에서 국내은행, 종금사, 기업으로 까지 간편한 '묻지마 대출'에 대해 소개한다. 그 결과 한국은 IMF의 요구에 머리를 굽혔고 자본주의를 '수정'하는 대수술을 진행한 것이다. 책임감 없는 자유의 결과였다.

사실 미국도 '수정자본주의' 체제로 돌아선 지 오래다. 시장의 실패의 경험은 곧 정부의 적극적인 개입을 불러오게 한 것이다. 필자는 과거 미국의 경제공황을 해결할 '뉴딜 정책'이 성공 해서가 아니라, '2008년 서브프라임 사태'로 미국 노력의 모습이 더 '수정 자본주의'를 배우기에 피부로 느껴서 그렇다. 중국은 이 때를 계기로 G2로 등극했다. 영화 '빅쇼트', '마진콜', '인사이드잡', '투빅투페일'(윌리엄 하트를 추모한다.)를 필자는 각자 10번 이상 봤다. 모기지 관련 파생 상품을 안일하게 다뤄 미국경제가 절단 났다는 공통된 내용이다.

사람은 이기적이지만 집단이 이기적이면 무서운 결과를 낳을 수 있다. 집단이 이기적인 결과로 돈을 벌면 개인도 따라 하려는 경향이 있기 때문이다. 영화 '빅쇼트'에서 라스베가스에서 메릴린치 간부와 코미디언 출신 주인공과 같이 식사하는 장면이 나온다. 거기서 '복합 CDO'의 설명을 듣고 두 손으로 머리를 쥐어짜는 장면이 나온다. 파생상품 자체가 돈을 벌지 말지 사람들이 돈을 거는 장면이 나온다. 주식보다 더 심한 '묻지마 투자'인 셈이다.

우리가 사는 자본주의 사회에서 경계해야 하는 부분은 'End user' 즉 대출받은 일반 사람들이 대출을 받을 때 적당한 경고를 주면 대출 규모를 조절 할 수 있다는 점이다. 안타깝게도 지금의 우리가 사는 세상은 '대출'을 권장하고 있는 사회다. 국가부채가 미친 듯이 올라도 힘 없는 창구 은행원은 적금하려고 온 사람에게 대출을 권장한다. 과거에는 못했다면 이번 기회에 AI를 동원해서 대출 경고 시스템을 구축해야 한다고 생각한다. 기재부가 직접 나서서 자산이 위험한 사람에게 경고를 주거나 더 나은 자산 상태로 올라가기 위한 리포트를 제공해줘야 한다. 가능하다면 Two-job이나 개인의 능력을 고려하여 더 좋은 직장을 알선할 수 있는 시스템으로 발전해야 한다고 본다.

방금 언급한 대출 경고 시스템은 해외 금융 상태를 제외하고 국내에 흩어져 있는 DB를 주기적으로 덤프를 떠 AI 시스템과 연동하여 주기적으로 리포트를 생성할 수 있다. 은행 DB는 Parsing하기 좋은 정형 데이터이기 때문이다. 각 가구당 한 명 정도 즉 가장에게 발송 할 수 있는 시스템 리소스 여력이 있다고 생각하기 때문이다.

개인 신용정보에 영향을 주지 않으면서 개인 간 대규모 자금 거래가 발생하는 경우는 그 어떠한 내용이라도 보고서를 보내야 한다. 국가가 개인 간 사금융까지 감시하는 건 아니지만 개인이 위험할 수 있는 상황을 늘 모니터링 할 수 있게 해야 한다. 또 다른 측면으로 보면 가족 구성원 중 누군가가 대출을 받을 경우도 가족 자산에 대한 보고를 통해 가장이 자산 전략을 세울 수 있게 해줘야 한다는 점이다.

그 한 예로 이제 막 4년차로 접어든 30대 공기업 직원은 1억 가량 저리로 은행에 대출을 받을 수 있다. 물론 그만한 신용을 확보한 사람이니 은행은 대출을 집행하는데 어려움이 없을 것이다. 그러나 이 청년은 월40만원 고시원에 사는 사람이고 은행 잔고는 1천만원이 되지 않는다. 그런데 이 청년은 5천만원은 주식을 5천만원은 코인 투자에 모두 소진했다. 200만원이 조금 넘는 월급으로 징글징글한 학자금 대출을 갚은 직후 잘 살아보자고 '한 방'을 노렸던 청년인 것이다.

<출처 : www.freepik.com, Designed by Freepik>

이 청년이 나중에 돈을 벌었겠는가? 대부분은 '아니요'일 것이다. 실제로 이런 청년이 얼마나 많겠는가? 또 다른 예로 방금 언급한 청년이 아니라 2자녀와 배우자를 둔 가장이라는 조건만 바꿔도 1금융권에서 신용으로 1억대출은 당연히 나온다. 전세금 2억 중 1억 5천이 배우자 명의로 된 대출이라도 가장 명의로 1억대출이 나온다는 얘기다.

2017년 여름과 가을, 한국은 비트코인 광풍이 불었다. 버스에 탄 대부분의 사람들이 뉴스 대신 코인 거래소를 지켜봤다. 코인 거래는 24시간 움직인다. 누가 50억을 벌었네 1000억을 벌었네 하는 소식에 자신도 같이 참여한 것이다. '유시민' 작가가 JTBC '안쓸신잡'에 같이 나온 '정재승' 교수와 방송에서 격렬하게 토론을 기억하는 사람들이 많이 있을 것이다. '유시민'작가는 비트코인은 '가치가 없다!'라고 했고 '정재승'교수는 비트코인의 블록체인 기술과 '해외 결제 시간을 단축한다'는 장점 때문에 '가치가 있다'라는 점을 부각 했었다.

필자는 주식은 잘 모르지만 비트코인에 대해 약간은 언급할 수 있다. 먼저 비트코인으로 사업화가 된 사례가 있는지 묻고 싶다. '코인 거래소가 있습니다!'라고 말하는 사람은 조용히 입을 닥치기 바란다. 아직 없다. 왜냐하면 블록체인의 기술로 무슨 아이템을 잡아야 하는지 아직 사람들은 모르는 것 같다. 어려워하지 말자. 쉽게 사업화가 가능한 아이템이 하나는 있다. 이미 이 사회에 있어야 했고 관례에 따라 지나쳐버린 아이템이다.

비트코인의 핵심은 블록체인(Block chain) 기술로 장부를 공유하기 때문에, 즉 민주적인 역할을 시스템화 한 것이다. 과거에 발생했던 장부를 바꾸지 못하도록 공유한 것이다. 모르겠는가? 돈의 흐름은 장부이고 사람으로 치면 그건 '경험'이다. '경험'은 곧 '경력'이다. 한 사람이 어느 학교를 나왔고, 어느 회사에 입사했으며, 무슨 부서에서 얼마나 일했는지 '종이(Paper)'라는 관례에서 벗어나지 못하고 있다. 'PDF로 말았는데?' 이런 말하는 사람은 조용히 책을 덮어 주시기 바란다. 구직자가 이력서를 쓸 때 글을 쓰는 관례를 말하는 것이다. 진작에 노동부나 교육부가 이력서가 필요한 기업에게 쏴 줄 인재DB API(application programming interface, 응용 프로그램 프로그래밍 인터페이스로 이 책에서는 '다른 DB와의 연결' 정도로 이해하면 된다.)가 있다면 '괜찮았을 것'라는 점이다.

그걸 '개인 채용'용으로 블록체인化 했다면 기업이 이력서에서 보지 못한 개인 '경력 장부'를 볼 수 있는 것이다. 생활기록부도 해당할 수 있으며, 고졸자가 취업이나 이직할 때도 중요한 기준이 될 수 있다. 기업이 영업직 군을 모집할 때 정량 자료가 매우 필요하다. 기업은 생산성과 이익이 무엇보다 중요하기 때문이다. 다시 말해 기존 방식으로 사람을 채용하려면 우리 회사에 당장 돈이 되는 사람인지 아닌지가 중요하다. 정량자료가 없기 때문에 면접 보는 시간과 기간이 길어진다. 기존 이력서만 보면 구직자가 갖고 있는 Site가 어디 어디이고 3년 안에 얼마의 매출을 발생시

킬 수 있고 지금 추진 중인 프로젝트가 무엇 무엇이고 이렇게 말한다면 면접자 입장에서는 연봉 협상에서 불리해 질 수 있다. 정형적인 데이터가 없기 때문이다. 그러나 그 영업 구직자는 단지 입사를 하기 위해 '구라'를 쳤던 것이다. 이런 사례가 사실 흔하다. 중소기업 일수록 이런 리스크가 존재한다.

다시 말해 영업직 군은 이력서에 자기가 만들었던 매출을 블록체인으로 된 장부가 존재한다면 뭔가 달라져도 달라졌을 거라는 점이다. 필자는 아르바이트 단계에서도 필요하다고 생각한다. 필자가 대표라면 군대를 다녀온 남자가 제대 후 알바를 한 커리어보다 고등학생 때부터 알바를 한 커리어를 더 눈여겨 볼 것이다. 직원은 성실함이 가장 우선 시 되는 덕목이다. 그러나 그 성실함이 어디부터 시작되는지 돈에 대한 가치를 어떻게 생각하는지가 중요하지 않을까 싶다.

필자의 경험을 얘기하자면 2015년에 창업을 했었다. 스마트폰 앱(APP) 서비스였다. 앱(APP) 이름은 '모래시계'였다. 서비스 기조는 '개인의 경험을 타인에게 돈을 받고 파는 것'이었다. 생각해보니 그런 분야는 많아서 포지셔닝을 하기에 좀 애매했다. 그래서 '경험 거래'를 할 수 있는 블루오션을 생각해보니 '과외'쪽 이였다. 믿지 못하겠지만 우리나라 대학생들은 고교 과정 '국영수' 프로페셔널들이다. 돈도 필요하다. 그래서 플랫폼 앱으로 만들었다. 그러나 개인적이고 급작스런 일이 발생하여 앱서비스를 'Live'하자 마자 종료했다. 폐업했다. 지금도 내 인생에서 많이 아쉬운 부분이다.

필자가 현 시점에도 '모래시계' 서비스를 언급한 건 아직까지도 구현된 적이 없는 서비스이기 때문이다. 현재 구인/구직사이트 그 어느 곳도 구직자가 얼마의 가치가 있는지 표기하는 기업이 이 세상에 없다. 다시 말해 개인의 벨류를 정량화 한 서비스가 없다는 말이다. 하지만 이 서비스는 회사의 매출, 인원수, 재직 기간만 알아도 그 사람에 대한 연간 가치를 간단히 산수로 뽑아낼 수 있다.

기업의 1년 매출을 인원수로 나누고 1년 재직기간을 반영하면 된다. 즉 1년동안 근태가 괜찮고 회사 매출이 100억원에 종사자가 100명이면 산술적으로 그 사람의 가치는 1억인 셈이다. 6개월만 다녔다면 그 사람의 가치는 5천만원이다. 그러나 이것보다도 변수를 더 추가 할 수 있다. 1년이 아니라 10년을 다녔고, 인사나 HR 담당자가 회사 직위, 팀명, 전문분야, 논문 등 각종 가중치를 반영한다면 그 사람의 가치는 달라지는 것이다. 타 회사가 스카우트를 할 때 보다 정량적인 데이터로 연봉을 준비할 수 있는 것이다.

청년은 아르바이트를 많이 한다. 그런 청년이 아르바이트를 하면서 자기가 받은 '알바비'는 자신이 만든 매출이다. 그 동안 없는 개념이긴 하지만 일을 해서 받은 돈은 곧 그 사람의 가치를 말한다. 다시 말해 매출을 일으키는데 있어 데이터화하지 못하는 건 구직자 신분으로 '아까운 데이터'라는 소견이다. 구직자가 대형 쇼핑몰회사에 들어가기 전에 소형 쇼핑몰로 반짝 벌어본 경험이 있다면? 아니면 직원으로 들어가 매출의 기여도를 정량적으로 증명할 수 있는 수단이 있다면? 그런 구직자는 최저 시급의 신입이 아닌 경력자로 보다 좋은 조건으로 입사가 가능할 것이다. 이와 같이 청년문제를 해결하기 전 데이터화 할 수 있는 건 데이터화 할 수 있어야 한다. 기업이 이런 가치를 찾아내는 것도 사회적인 비용 낭비인 셈이다. 이런 환경을 구축할 때 AI(인공지능) 만한 게 없다고 생각한다.

사실 필자는 블록체인 기술을 2009년부터 알고 있었다. 참고로 정확히는 비트코인의 블록체인을 말하는 게 아니다. 많은 분들이 영화다운로드 서비스를 경험한 적이 있을 것이다. 2009년부터 2011년까지 필자는 영화다운로드 솔루션을 다루는 회사에서 근무했었다. 필자는 IT 솔루션 영업 출신이기 때문에 매출을 올려야 했다. 그 전에 회사의 기술이 뭔지 파악부터 해야 했다. 회사는 그 기술을 'Download Grid'라고 했다. 쉽게 설명하면 'ABC'라는 영화다운로드 서비스가 있다고 치자.(예전에 편의점이나 PC방에 다운로드 쿠폰이 많이 있었다는 걸 기억하는 사람이 많다.) 많은 사람들이 그 서비스를 이용했다. 다운로드 속도도 빠르고 자료도 많았었다.

'다운로드 그리드'는 일단 ActiveX 클라이언트 프로그램을 설치한다. 프로그램을 설치하면 자신이 받았던 '매트릭스' 영화의 일부분 나눠 줄 수 있는 기반이 된다. 같은 버전의 '매트릭스' 영화를 1,000명이 접속해 있다고 치자. 그럼 새로운 사람이 접속해서 같은 버전의 '매트릭스'를 받으려 할 때 접속해 있는 사람 1,000명이 새로운 사람에게 매트릭스를 나눠서 주는 방식이다. 물론 메인 서버에서도 준다. 하지만 TCP/IP의 패킷 단위가 아니라 이쪽 업종에서는 '해쉬(hash)'라는 용어를 쓴다. 받으려는 파일마다 많은 수의 '해쉬' 단위로 쪼개진 걸 ABC회사의 서버는 그걸 증명하는 절차로 파일다운로드가 시작되고 끝나는 절차를 관리한다. '영화가 다운로드 되었습니다'라고 메시지를 끝으로 하는 로직(logic)으로 끝난다.
비트코인 블록체인과 같지 않은가? 블록체인은 장부를 민주적으로 증명하고, 그리드 기술은 민주적으로 옳은 파일을 줘서 영화가 실행될 수 있는 것이다. 2가지 모두 'Right'란 결과다. 거래가 잘 이뤄지거나 영화를 잘 받거나 하는 건 '신뢰'가 되었다는 걸 의미한다. 해킹이나 방해가 있었다면 '신뢰'는 없어진다.

이처럼 블록체인은 선진국에서 추진중인 CDBC(Central Bank Digital Currency, 블록체인기반 기술로 중앙은행이 발행하는 디지털 화폐)보다 사람들의 '경력증명'해 줄 수 있는 강력한 서비스가 먼저 나와야 한다. 그것이 적절하며 네이버나 카카오가 아닌 '정부24'에서 나와야 한다는 생각이다. 물론 어느 한 기업이 서비스를 해도 되지만 이를 열람하려는 기업이 비싼 돈을 주고 열람 할 수 있기 때문에 반대 하는 이유다. 이런 시스템은 반드시 플랫폼으로 되어야 한다.

4차산업의 핵심은 뭐니뭐니 해도 AI(Artificial Intelligence) 즉 인공지능이다. 어떤 이는 '인공지능은 로봇이다'라고 생각하시는 분이 있다. 반은 맞고 반은 안 맞는다고 생각한다.. 로봇 자체의 바디로 통신 부품 없이 독자적으로 사람의 일을 돕거나 혼자 일할 수 있으면, 즉 스타워즈의 '3PO'처럼 혼자 잘 일을 하면 좋겠지만, 현재가 말하는 인공지능은 클라우드 안에서 주로 'H100 chip'이나 I/O가 높은 속도가 보장된 시스템 내에서 강화학습이나 추론 기능이 고도화된 시스템으로 운영되기 때문이다. 온디바이스가 클라우드의 비용을 줄이는 역할을 한다고 하지만 거대언어모델(Large Lange Model, LLM : 검색엔진 기술의 하나로 기존 언어모델을 더욱 확장한 개념으로 인간의 언어를 이해하고 생성하도록 훈련된 인공지능)이나 특정 데이터, 실시간데이터가 필요할 때는 역시 클라우드가 필요하다.

2023년 1월에 발간된 KDI 보고서(해외동향 로봇편)에 따르면 '세계주요국들은 저출산/고령화에 따른 노동 투입 여건 악화에 대응하고 제조업 경쟁력을 높이기 위해 로봇을 적극적으로 활용하고 있다'라고 저술했다. 또한 글로벌 협동 로봇 산업은 '2020년 9억8,100만 달러에서 2026년 79억7,200만달러 규모로 연평균 41.8%의 빠른 성장세를 보일 것으로 전망된다'라고 기술했다. 이미 우리 산업에 생각보다 깊이 침투해 있으며, 한국은 인구밀도 대비 로봇 사용률 세계 1위라는 사실을 알아야 한다.

로봇은 단순히 제조업이나 서비스업에 인간을 대체하는 효과에서 인간의 삶의 질을 올리는 수단으로 발전되고 있다. 극단적으로 앞으로 모든 근로와 노동은 로봇이 하고 사람은 즐기고, 창작하고, 큰 어려움 없이 지낼 수도 있다. 상상력이 좋은 사람이 로봇을 잘 부릴 수 있는 시대가 곧 온다.

물론 아직은 미래이야기다. 지금은 스마트폰의 시대다. 스마트폰이라는 플랫폼은 상당히 오랜 시간 지속될 것이다. 혹자는 스마트폰이 사라지고 로봇의 시대가 올 것이라고도 한다. 그러나 그렇지는 않을 것이다. PC시대 다음이 스마트폰 시대라고 해도 PC는 여전히 개인에게 중요한 시스템이기 때문이다.

스마트폰은 노동을 하는 로봇보다 당연하게도 사이즈가 작다. 그리고 전화를 할 때는 로봇을 통하는 것보다 내가 직접 번호를 선택해서 전화하는 것이 낫다. 은밀하면 은밀 할수록 더 할 것이다. 그러나 추수를 해야 하는 밭을 앞에 두고 '스마트폰아… 나는 힘드니 네가 저기 낫을 들고 추수를 대신 하렴..'이라고 하면 스마트폰이 추수를 할까? 그 스마트폰이 '트랜스포머'에 나왔던 로봇이라면 모를까.. 스마트폰은 그냥 가만히 있는다. 로봇은 그렇지 않는다. 주인의 명령을 Off-line에서 직접 수행한다. 앞으로 AI가 지원하는 스마트폰은 On-line에 맞는 일을 시키면 된다.

Ⅱ.AI시대의 노동전쟁

Sub title : The revival of the Acheson Line

11.오프라인에서 온라인으로 다시 오프라인으로

스마트폰의 발명으로 사람들이 보는 디스플레이는 TV나 PC에서 손안으로 옮겨지게 되었다. 스마트폰에 돌아가는 게임과 OTT는 한국 엔터테인먼트 종사자에게 많은 기회를 주었다. 필자는 이 여세를 계속 이어갔으면 한다. 스마트폰 디바이스에서 '차세대'라고 기대하는 '로봇'은 우리 한국사회에 다양한 기회를 제공할 것으로 생각한다. 향후 스마트폰의 역할을 많은 부분에서 '로봇'으로 넘어가고 집중화 되는 시점을 한국 사회는 주목해야 할 것이다.

그 중 나를 알릴 수록 더 나은 서비스를 받을 수 있는 기회가 열릴 것이다. 1.2.3정책도 위와 같이 개인정보를 노출함을 기반한다. 1.2.3정책은 로봇의 노동 수익으로 주거문제를 해결하려는 정책 제안인 것이다. 30년간 아파트를 살게 되는 기회와 고령화 시대에 최소한의 자존감을 유지하기 위해 자신의 노출 범위에 따라 복지의 혜택이 달라질 것이다. 예를 들면 1.2.3정책 대상자는 별도로 청약을 하지 않아도 될 것이다.

자녀가 임신 중일 때 1.2.3 정책을 신청했다면 부모는 문자로 결과 또는 소명 통보를 받는 것을 의미한다. 병원에서 임신 진단을 받으면 '정부24'에서 임신했다는 데이터가 올라오면 '정부24'에서 아파트 신청 버튼을 누르면 된다. 그러면 AI가 자동으로 선발한다. 그 때는 자녀 출생 순간 부모 또는 자녀 기준으로 AI가 판단을 하게 될 것이다. 입주 대상자로 선정될 때 입주 시기를 예상할 수 있을 것이다. 그리고 AI로 선발하기 때문에 다양한 금융기관과 통신사, 카드사 등의 API를 끌어와 미리 준비된 Query Set으로 검색/분류/추론 하여 자산 보고서를 낼 것으로 보인다.

이율이 적은 대출을 추천할 수 있고 출산 물품도 추천 받는다. 물론 선호하는 지역에 따라 입주 순서가 바뀌거나 기타 다른 이유로 청약을 다시 한번 신청 할 수도 있다. 당첨자 선정 시 지금의 '행복e음'보다 많은 DB를 상시 연결하여 검색 컬렉션을 위해 외부 API를 상시 연결해야 할 것이다. 사람을 위한 사회보장 시스템이 보다 정교해지고 알림 시 거슬리지 않을 만큼 스마트폰이나 로봇이 사람을 살필 것이다. 고령자가 아니더라도 관리를 해야 할 사람이 스트레스가 많이 쌓이면 어떤 말을 해줘야 할지 위로를 하는 배우자 로봇 산업도 창출될 것이다.

12.우리나라에는 홈리스가 거의 없어졌다.

20여년전만 해도 영등포역이나 서울역에 홈리스가 정말 많았다. 을지로역은 그들의 성지 마냥 밤만 되면 자리 싸움이 일어날 정도였다. 그 당시 을지로역 롯데백화점은 명품의 1번지였다. 그러나 아이러니 하게도 백화점 100m거리 지하 10미터는 홈리스의 1번지였던 것이다.

<출처 : 복지로 bokjiro.go.kr>

혹시 '주거급여'를 아시는가? 모른다면 '기초생활수급자'는 많이 들어봤을 것이다. 지자체(구청)에서 지급하는 '주거급여'는 간단히 정리하면 월세를 국가에서 지원하는 정책이다. 기초생활수급자가 대상이다. 주거급여는 이 수급자에게 지급된다. 주거급여만 따지면 월 35만원 수준 정도 될 것이다. 월 35만원이면 서울의 고시원이나 쪽방 월세와 동일한 수준이다. 고시원과 쪽방은 보증금이 없기 때문에 홈리스들은 주거급여 혜택으로 고시원이나 쪽방에 그나마 안정된 주거를 보장받는 것이다.

이 조사는 '한국토지주택공사'에서 진행한다. 담당부서는 '주거급여사업소'에서 진행하며, 소속된 조사원들이 각 구마다 담당하여 대상자를 업데이트하고 있다. 조사한 자료는 테블릿에 저장, 주거급여 심사기준 담당자가 심사를 한 뒤 구청 복지시스템으로 자료를 넘긴다. 그럼 매월 20일 기준으로 '수급자'에게 '주거급여'가 입금된다. 세수로 최소한 사람이 지붕에서

잠은 잘 수 있게 해준 것이다.

'기초생활수급자'는 생계급여, 의료급여, 주거급여, 교육급여 이렇게 나뉜다. 장애인에 큰 질병까지 있는 분들은 일반인보다 주거급여 심사 허들이 낮다. 국민연금을 10년 이상 넣었다면 '장애연금' 대상일 수도 있다. 개인의 신체적인 문제가 있다면 높은 혜택이 돌아가는 시스템이다.

현재 인구가 5,200만명 수준에서 이 정도의 복지를 이루어낸 건 공무원의 역할이 크다고 생각한다. 정치적으로 복지를 잘해야 한다는 국민 과제가 있기는 하지만 실제 현업에서 기획하고 수행하는 건 사람이다. 시스템이 잘 갖춰져 있다고 하더라도 감독은 결국 사람이 하기 때문에 실수가 있을 수 있다. 이런 이유로 '세금으로 월급 받는 것들..'이라고 비판하는 건 이 기회를 빌어 자제를 부탁 드린다. '세금으로 월급 받는다'는 논리는 수 많은 기업도 해당한다. 나라장터에 입찰 받으려 하는 기업은 결국 세금으로 월급 받는 것과 동일하지 않는가? 그들은 그들의 노동으로 월급을 받을 뿐 '세금이 내 월급이다!'라고 생각하는 사람은 필자가 만나본 사람 중에는 한 명도 없었다.

다시 돌아와서 한국은 고령자에게 최소한의 복지를 유지하고 있는 상황이다. 나라에서 주는 돈으로 늘어지게 사는 사람도 있겠지만, 그 중 좋은 경력을 가진 고령자는 조금만 생각해보면 국가적인 차원에서 큰 낭비라고 생각한다. 관공서 정년퇴직자, 대기업 세일즈 부문 퇴직자, 대중소기업 기술직 정년퇴직자 등 그들은 모두 사회가 다시 생각해봐야 할 경력자인 것이다. 앞으로 100세 시대에 60세에 퇴직을 한 사람에게는 제 2의 인생을 살게 해야 할 기회를 줘야 한다는 생각이다. 물론 '경제적 자유'를 가진 사람도 있다. 다시 일하려는 그들에게 중소기업진흥청의 시니어 창업 프로그램도 전면적인 재검토가 필요해 보인다.

근미래에 로봇 시대로 접어들게 되면 고령자끼리 창업자와 참여자로 나눠 지분협의를 통해 새롭게 '법인'을 세우고, 기존에 경리 직원을 채용하는 대신 '로봇'이 경리/총무/인사 시스템을 담당하고, 고령자 대부분이 경력을 살려 'Sales'를 할 수 있는 win-win모델로 일한다면 동일 업종에서 강력한 '스코어러'가 될 수 있다고 생각한다.

아니면 고령자가 소유한 로봇을 모아 '조합'(Robot Union)을 설립할 수도 있다. 이런 조합은 기존의 노조 성격을 가질 수 있다. 노조 전체가 소유한 로봇들은 대기업의 국책사업이나 대규모 해외공사, 조선업, 플랜트 구축사업, 오지(奧地)발전사업 등이 발생하는 경우 조합 단위로 계약해서 일을 수행 할 수 있다. 그리고 로봇은 24시간 일 할 수 있지만 위험도가 높은 사이트에 대규모로 로봇이 투입되면 다양한 상황이 발생된다.

갑자기 사고가 일어나 많은 수의 로봇들이 사용 불능이 된다거나 오지(奧地)에서 일할 때 통신 문제로 장애가 발생할 수 있는 문제로 노조 담당자와 갑작스런 협의사항이 많아질 수 있고, 감독에 대한 이슈가 발생할 수 있다.

또한 Spec에 따라 투입 현장이 달라질 수도 있다는 점이다. 새로 산 로봇으로만 투입이 된다면 렌탈 비용은 올라 갈 수도 있는 것이다. 조합은 그런 협상에 단가를 올리려 할 것이다. 이런 예상되는 케이스로 AI시대는 그에 걸맞는 기업과 노조의 협상이 필요한 것이다.

이처럼 만 60세를 넘긴 분들에게는 또 기회가 온 것이다. 이유가 있다. 베이비붐세대는 '현대 정주영', '대우 김우중', '금성 구인회', '포항제철 박태준' 같은 한국 기업 초기 영웅들의 제자 세대다. 즉 적은 임금의 노동력을 어디까지 쓸 수 있는지 경험을 갖고 있다. 과거에 밤낮 가리지 않고 자신을 로봇처럼 몰아붙인 경험을 잊지 않고 그 젊음을 간직하고 있다.

필자가 말하고 싶은 고령자의 경력이 바로 이런 것이다. 일할 때 잠시 가족을 뒤로 하고 로봇처럼 일했던 당신이 진짜로 24시간 일하는 로봇의 한계점이 어딘지 잘 알 것이라고 생각하기 때문이다. 로봇은 불만도 없고 월 100만원만 주면 된다. 밥도 안 먹고 화장실도 필요 없다. 힘이 남아 있으신 분은 다시 '사우디'로 갈 수도 있다. 회사를 만들어 대기업과 다시 협상 할 수도 있다.

X세대는 인터넷 초기부터 스마트폰 시대까지 모두 경험한 시대이면서 인공지능 시대에 대한 대비가 되어 있는 1세대라고 볼 수 있다. 청년들이 로봇을 창의적으로 많이 쓰면 좋겠지만 그 첫 순서는 X세대가 먼저일 듯 싶다. 지금까지 쌓아온 경력으로 로봇을 어떻게 하면 많이 쓰면서 수익을 올릴 수 있을지 사업화가 가장 빨리 할 수 있는 세대라고 평가하고 싶다. 필자가 X세대인 점도 있지만 로봇의 성장성을 가장 면밀하게 관찰할 세대도 X세대라고 생각한다. 그들은 곧 다가올 노후에 로봇을 사용하여 창업할 수 있는 기회가 곧 찾아올 것이다. 인터넷 초기 시장과 비슷한 경험이 될 것이다.

아울러 비2족보행로봇(고정형 다관절로봇, 휠물류로봇 등)의 '로봇세(TAX)'도 시니어(고령자) 창업 지원금에 상당 부분 충당할 수 있을 거라 생각한다. 그런 기업이 10년동안 10만개 정도는 생기지 않겠나? 하는 생각이다. 10년 후면 X세대가 60세로 접어드는 시기이다. 한 회사당 대표 포함 5인 구성 시 50만명이다. 그리고 2족보행 비서 로봇(경리/총무/인사시스템)을 월 100만원에 렌트 한다면 10년간 10만 unit도 1.2.3정책에 대상 기업이 된다. 이렇게 10만대가 1.2.3정책에 투입되는 선순환이 되는 것이다.

고정 매출이 발생하면 경리를 뽑을 게 아니라 사람과 로봇을 채용 할 수 있는 것이다. 그리고 고령자 대상이라고 해서 돌아가시기 '일보직전'까지 일을 하라는 게 아니라 정말 일을 하고 싶은 사람에게 기회를 줘야 하는 게 정상이라고 생각하기 때문이다. 창업을 할지 말지는 창업자가 결정하는 것이다. 필자는 그 분들께 강력히 말하고 싶다. 나이는 상관없다. 주름은 피부에만 있고 마음에는 주름이 없는 법이다. 필자는 현 시니어 창업자에게 말한다.

'이제는 당신 혼자만 생각해도 되니까 다시 날개를 달아 날고 싶으신 분은 조금만 기다려 달라고…'

13.월 100만원 임금의 로봇이 1억대가 있다

로봇의 사용, 즉 수요는 먼저 Difficult(어려운), Dirty(더러운), Dangerous(위험한) 3D 영역에서 시작될 것이다.

과거와 달리 사람은 교육을 받으면 받을수록 3D를 기피한다. 일자리가 없을 때 어쩔 수 없이 고등 교육을 받은 사람이 3D 업무를 처음 접할 때 '멘붕'이 온다. 정년퇴직자나 조기퇴직자도 마찬가지다. 필자도 경험해 봐서 안다. 아무것도 모르는 20살 때 막노동을 해서 등록금을 낼 때는 보람도 있었다. 그러나 좋은 회사에서 일하다가 갑자기 퇴직을 하고 다른 일을 할 때, 특히 몸이 힘들고 위험한 현장에서 일을 할 때는 자괴감 마저 들 때도 있다.

물론 아닌 분들도 있다. 앉아서 일하는 것보다 몸으로 일하는 보람을 찾는 분들도 있다. 사람을 상대 하는 게 가장 힘들고 입찰이나 경쟁을 하는 화이트칼라의 '뭣'같음은 싫어서 몸으로 때우는 일이 낫다는 것이다. 경험해보니 정말 황당한 산업 현장보다 그때가 낫다는 생각은 변하지 않는다. 그러나 그것도 어느 정도 선이라는 게 있다. 사람이 정말 힘든 현장을 봤을 때 도망가는 현장도 있다. 자칫 하다가 목숨이 위태한 현장도 있다. 진짜 잘못되면 뉴스에 나오기도 한다. 즉 일본의 후쿠시마 원전에 사람이 못 들어가고 로봇이 들어가는 것과 같은 것이다.

로봇은 그런 산업 현장에 먼저 투입되어야 한다. 사실 로봇으로 노동을 대체 하는 범위는 위에 언급한 3D에서 한 가지가 더 추가 되어야 한다. 그것은 지속적인(Constantly) 일이다. 그런 일은 무엇이 있을까? 사람처럼 일하는 로봇에게 처음으로 맡길 일은 무엇일까? 그 중 필자는 쓰레기 문제를 로봇이 처음 해야 하는 일이라고 생각한다. 로봇으로 하여금 사람이 생활하면서 뱉어낸 쓰레기 문제를 해결해야 한다고 생각하기 때문이다. 환경문제에 로봇이 적극적으로 투입되어야 한다. 국내는 매일 55만톤씩 쓰레기를 배출한다. 10톤 트럭으로 55,000대다.

55만톤의 쓰레기 중 건설폐기물부터 종량제 쓰레기 봉투까지 정말 다양하다. 사람은 하루하루 쓰레기를 배출한다. 영화 '매트릭스'에서 스미스 요원은 사람을 '바이러스'라 표현하기도 한다. 지구를 망치는 건 사람이다. 쓰레기를 숨쉬면서 만들어낸다. 지구 환경적인 측면에서 보면 사람은 바이러스 같은 존재일지도 모른다.

일본 '후쿠시마'에서 큰 지진이 일어나 쓰나미가 들이닥쳤을 때 인근 모든 집이 쓰레기로 변했다. 이번에는 2024년 새해 첫날에 지진이 일어나 많은 사람이 죽고 집이 무너졌다. 분명한 건 지진이나 쓰나미 같은 자연재해가 1차 원인이라고 하지만 그로 인해 발생하는 목숨을 잃은 분들과 그 분들의 재산이 다 망가져 있는 현장은 정말 말이 막히게 된다. 그리고 살아 있는 사람은 그 뒷처리를 해야 하는 목적이 갑자기 생기게 된다. 미국의 경우도 마찬가지도 허리케인에 휩쓸려간 주택가나 큰 화재로 잿더미가 된 주택가도 있다. 전쟁 중인 우크라이나, 이스라엘, 가자 지구 등 모두 재건할 대상이며, 살아있는 사람이 뒷처리를 해야 하는 일거리 들이다.

이처럼 일본과 미국 사례도 있지만 안전한 한국의 경우는 재건축 이슈가 있다. 거기서 나오는 건설 쓰레기의 경우 재활용이 가능하다고 한다.

어느 기업 블로그(https://blog.naver.com/cmhub/222987791270)에 보면

폐기물 종류별 하루 발생량(2020)

단위: 만톤/연

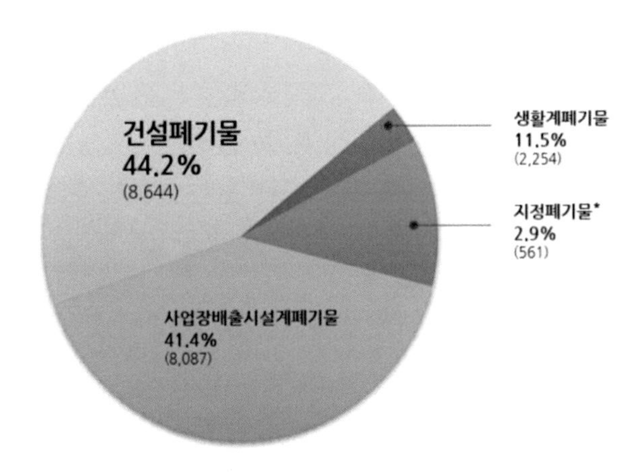

<출처: 한미글로벌 '건설폐기물 재활용' 우리가 몰랐던 사실과 해결방안>

(*지정폐기물: 폐유·폐산 등 주변 환경을 오염시킬 수 있거나 의료폐기물 등 인체에 위해를 줄 수 있는 해로운 물질로서 대통령령으로 정하는 폐기물. 참고: 통계용어, 통계청)

환경부 발표에 따르면 건설폐기물의 재활용률은 98.9%로 폐콘크리트, 폐아스팔트 등 대다수 건설폐기물이 재활용 공정을 거쳐 다시 태어나고 있다는 점을 밝히고 있다. 그러나 재활용되지 못하고 매립되는 1.1%와 통계에 잡히지 않고 불법 투기되는 건설 폐기물은 환경오염에 지대한 영향을 미친다고 한다.

그러나 국내 어느 한 기업은 '순환 골재'란 이름으로 건축폐기물이 재활용되고 있다. 이런 순환 골재 생산과 사용량을 늘리면 자원을 절약하고 처리부담을 줄일 뿐 아니라 시멘트와 철근생산으로 발생하는 온실가스도 줄일 수 있다. 재활용되는 건설 폐기물의 종류도 폐아스콘(폐기 처분할

아스팔트콘크리트), 폐콘크리트, 폐목재 등으로 다양하다.

아울러 재생 아스콘은 일반 아스콘에 폐아스콘을 20~30% 가량 섞어 생산한다. 일반 아스콘과 비교해도 기능적 면에서 뒤떨어지지 않고, 단가가 저렴한 것이 특징입니다. 폐아스콘을 재활용할 경우 톤당 2만5000원~3만 원 정도의 처리 비용을 절감할 수 있다.

<재생 아스콘>

폐콘크리트는 잘게 분쇄하는 공정을 거쳐 재사용하고 있다. 폐콘크리트 재활용 시 에는 이물질 및 불순물 포함 비율이 5% 이하로 제한되고 있어, 철거나 재사용 공정 시 불순물을 깨끗이 제거하는 작업이 관건이라 할 수 있다. 이렇게 다시 태어난 콘크리트는 건설 현장에서 '되메우기(지하 구조물 공사 등을 위해 여분으로 파낸 부분을 공사 종료 후 토사를 메워서 원상 복구하는 작업. 참고 : 건축구조용어사전, 대한건축학회)'와 성토(흙을 쌓아 올리는 것으로 부지조성, 제방 쌓기 등을 위해 다른 지역의 흙을 운반하여 지반 위에 쌓는 것. 참고 : 건축구조용어사전, 대한건축

학회)재료로 사용된다.

아울러 철거 단계에도 폐기물을 신경 써야 한다. 건설폐기물의 재활용률을 낮추는 부정적인 요인 중 하나로 '건설 폐기물 잔재'가 있다. 도자기, 고무, 플라스틱 등 폐기물에 딸려 나오는 이물질들이 여기에 속한다. 이런 작업은 건축물 철거 현장에서부터 세세한 분류 작업이 이뤄져야 한다. 철근, 유리, 목재 등 재활용 가부를 구분해 분리 배출하는 '분별 해체'가 그것이다. 현재 건설 폐기물 재활용 기술을 전문적으로 보유한 업체들은 강력한 진동을 이용해 폐기물에 포함된 이물질을 털어내는 공정을 거치고 있다. 이 밖에도 건설폐기물 중간처리 시설에서 발생하는 잔재물 중 타지 않는 불연물 함량을 최대한 낮추기 위해 선별 작업을 강화하는 방안을 활용하고 있다고 한다. 필자는 이러한 현장에도 로봇이 투입되어 보다 더 세분화 할 수 있는 분류 작업을 로봇으로 대체 할 수 있다고 생각한다. 즉 '잔업'이라는 명목으로 채용되는 사람의 일을 로봇이 대체 할 수 있는 것이다.

<출처 : 작가 kjpargeter 출처 Freepik, Designed by Freepik >

14.처음 로봇이 잘하는 분야는

'분류'가 필요한 일이다.

'분류'를 잘하는 분야는 무엇일까? 전반적으로 많은 부분이 있겠지만 필자가 생각한 로봇이 대량으로 필요한 업종인 쓰레기 분야다. 그 중 플라스틱 분류가 먼저라고 생각한다.

최초 플라스틱은 1855년에 개발되었다. '존 웨슬리 하이엇(John Wesley Hyatt)이 녹나물에서 추출한 고형분을 이용해 셀룰로이드(celluloid)를 발명했다. 그 셀룰로이드의 발전으로 합성고분자화합물 즉 '플라스틱'이 발명된 것이다. 그러나 과거 100여년 동안 인간의 편리함을 가져다 준 플라스틱이 쓰레기로 버려진 건 의심 없는 사실이다. 필자는 앞서 땅에 버려지는 쓰레기를 말했지만 그 못지 않은 해양 쓰레기는 어떤가? 뒤에 더 설명하겠지만 한국에서 연간 버려지는 해양쓰레기는 14만톤이라고 한다. 8톤 트럭으로 17,500대분이다.

바다에 떠다니는 부유하는 쓰레기는 생각보다 상상을 초월한다. 그래서 이를 수거하는 다양한 방법이 있지만 로봇을 활용하여 수거하는 활동도 진행 중이다. 오로지 이 목적만을 위한 로봇이다. 수거되는 건 절반도 되지 않지만 좁은 곳 에서도 해양쓰레기를 처리할 수 있고 원격으로 조종이 가능한 무인 해양청소로봇이다. 이런 단일 목적 쓰레기 로봇은 일정량이 차게 되면 다시 돌아와 사람이 다시 재분류를 하거나 아니면 쓰레기장으로 향하는 덤프트럭에 쌓게 된다. 여기서 2족보행 로봇이 할 일은 사람 대신 다시 재분류를 보다 효율적으로 분류 할 수 있다. 이런 일은 로봇이 대량으로 투입되어야 그 효과를 볼 수 있다. 쓰레기로 더러워진 지구를 다시 정상적인 지구로 테라포밍 할 수 있는 건 사람보다 로봇이 더 높은 효율을 가져 올 수 있다. 그 중 로봇으로 플라스틱 쓰레기를 보다 효율적으로 분류 하는데 적극적으로 대처해야 한다고 생각한다.

쓰레기는 부피와의 싸움이다. 그 중 건설폐자재나 종량제 쓰레기를 제외하더라도 재생쓰레기 즉 열가소성 플라스틱은 재활용에 이용 중이고, 그간 폐기만 했던 열경화성 플라스틱도 재활용의 길이 열렸다. 최근에는 부산대에서 폐타이어로 기름까지 뽑는 기술까지 발전했으며 이를 상용화한 기업도 있다. 전기차 시대를 접어든 요즘 세상에 더 없이 귀한 기술을 갖고 있는 것이다. 이런 기업은 미국이나 중국, 인도, 유럽 등 '자동차를 많이 생산하고 버려지는 국가에 하나씩은 있어야 한다'게 필자의 생각이다. 미국에 어느 해안에는 과거 폐타이어 200만개를 인공 산호초 구역을 만든다고 바다에 버린 일이 있었다. 그러나 결과는 산호초는 생기지 않고 미세플라스틱은 바다에 떠다니고 있으며, 폐타이어는 더 넓게 퍼져버려 해양 생태계를 박살낸 사례가 있다. 지금은 수거를 한다고 하지만 아직 50만개가 남았다고 한다.

로봇이 소형부터 대형 쓰레기를 분류할 때 중요한 부품은 뭐니 해도 로봇에 달린 렌즈일 것이다. 로봇의 눈인 렌즈는 지금의 스마트폰의 카메라 렌즈와 유사한 구조를 가질 것이다. 같지 않더라도 로봇 팔에 바코드, QR코드 등 제품정보를 인식하는 Add-on 기술이 흔해져 클라우드에 제품포장 정보가 있다면 보다 더 세밀하게 분류가 가능할 것이다. 지금의 스마트폰도 바코드, QR코드, 데이터매트릭스 등 다양한 포맷의 코드를 읽을 수 있기 때문이다.(예전 필자가 국내 최초로 QR코드 솔루션 개발하여 우체국 은행 앱(APP)에 납품한 경험이 있다.)

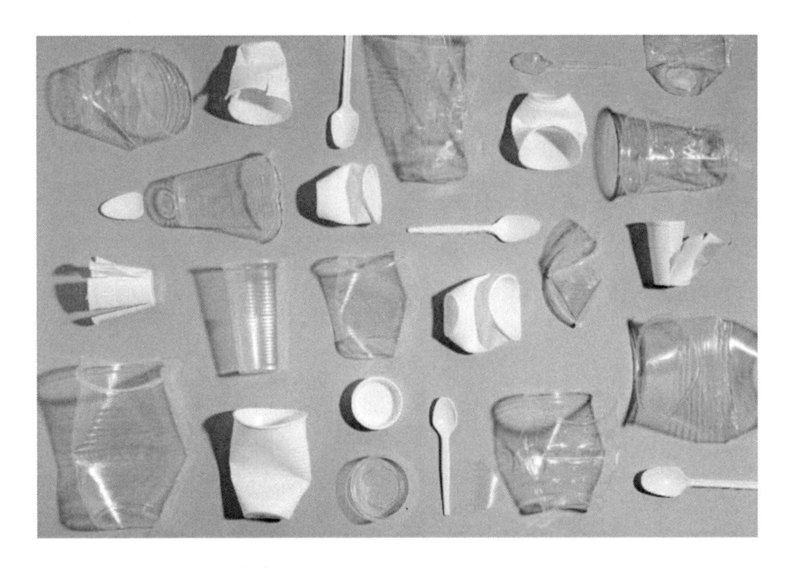

<출처 : freepik.com, Designed by Freepik >

예를 들어 콜라1.5ℓ는 병뚜껑과, 병, 그리고 병을 감싸는 비닐로 되어 있는데 뚜껑과 병은 같은 PET(폴리에틸렌 테레프탈레이트)이고 비닐은 다른 소재라고 하면, 기존에는 비닐이 있는 채로 재생공장으로 갔다면, 로봇은 앞으로 이걸 따로 분류할 수 있는 것이다. PET는 가소성 플라스틱이기 때문에 재생공장으로 가서 '차렵이불' 충전재 같이 재사용이 가능하다. 비닐 쓰레기는 국내에는 휘발유나 경유로 뽑는 기업도 있다. 한 국내 대기업인 'SK지오센트릭'의 경우가 이에 해당한다. 이 회사의 기름은 중금속 함유량도 적어 바로 판매가 가능하다. 휘발유나 디젤이 되는 것이다.

지금도 이족보행 로봇이 아닌 강화학습 기반의 분류 로봇이 지금 쓰레기를 분류하고 있고 기계 옆에 사람도 함께 같이 분류하고 있다. 이 작업에 투입된 쓰레기 분류 기계는 강화학습, 딥러닝 기술이 이용되기 때문에 이런 기계 몇 대를 생산라인에 두면 훨씬 효율적일 것이다. 그렇지만 이런 기계는 생산라인에 부착되어 1가지 일에만 수행하게 된다. 효율이 낮다는 말은 아니다. 그러나 2족보행 로봇과 동시 사용 시 범용성과 확장성은 상당히 높은 수준이 될 것이다. 분류를 전문적으로 하는 2족보행 로봇이 그 역할을 다 한다면 재생 작업 시 전처리 공정에 필요한 목표량이 높아진다는 의미가 된다.

14.사람이 살기 위해

해양 쓰레기를 정리 해야 한다.

전 세계적으로 해양 쓰레기와 전쟁을 치루고 있다. 해안으로 밀려든 고래 배를 갈랐더니 플라스틱 쓰레기로 채워졌다는 뉴스도 있고, 어느 유튜버는 물개 몸에 감긴 그물을 풀어주는 전문적인 영상도 많다. 어느 동영상은 혹등고래에 어망이 걸려 전문 다이버가 혹등고래를 쫓아가 깊은 바다에서 어망을 잘라내 주는 영상도 있다. 1시간 30분이나 걸렸다. 그 혹등고래는 다이버가 잘라내 주기 전까지 고통에 시달렸다. 다이버가 그 그물을 끌어올려 무게를 재자 500kg이나 나왔다. 그 혹등고래는 500kg 쓰레기를 몸에 달고 살았던 것이다. 이처럼 해양에 퍼져 있는 플라스틱의 종류가 많은 만큼 특히 선진국은 우선적으로 해결해야 한다.

<출처 : freepik, 사진 : macrovector 제공>

2019년 기준으로 조사대상 6개 해양 지역에 떠다니는 플라스틱 입자는 개수로는 82조~385조개(평균171조개), 무게만 110만톤~490만톤(평균 230톤)에 이르는 것으로 추산됐다. 미세플라스틱 농도가 가장 높은 지역

은 북미와 유럽의 바다인 북대서양으로 확인됐다. 바다에는 떠다니는 쓰레기, 가라앉은 쓰레기, 바닷물과 공존하는 미세플라스틱이 있다. 가라앉은 쓰레기와 미세 플라스틱은 그렇다 쳐도 떠다니는 쓰레기는 모두 회수하는 것을 선진국이라면 반드시 목표로 해야 한다.

필자는 이처럼 쓰레기를 옮기고 플라스틱을 종류별로 분류하는 로봇으로 대체하면 기존보다 처리 속도가 상당히 올라갈 것으로 생각한다. 그러면 더 이상 컨터네이너에 쓰레기를 실어 외국으로 보내지 않아도 될지도 모른다.(한국은 콘테이너로 재생쓰레기를 동남아로 수출한다.)

현재 일부는 상태가 안 좋아 다시 한국으로 반송되고 있다. 왜냐하면 재생할 수 없는 쓰레기가 많이 포함되기 때문이다. 앞으로는 로봇으로 쓰레기를 분류할 때 보다 더 세밀하게 해서 재처리할 때 산업에 필요한 원료나 소재로 개발한다면 이는 원유를 대체하는 효과가 반드시 있을 것이다. 정유공장에서 양질의 휘발유, 경유 등 만들어 다시 수출하는 것과 비슷한 효과인 셈이다.

만약에 로봇으로 기존보다 쓰레기 재활용에 경제성이 있다면 어떻게 될까? 당연하게도 이 패키지는 선진국에 팔 수도 있고 대량의 로봇을 투입시켜 미국이나 유럽, 인도, 중국의 쓰레기 처리를 한국의 기업들이 달려가서 처리할 수도 있다. 특히 인구가 많은 인도에 가장 큰 기회가 있을 수 있다. 인구가 많고 더러우면 더러울수록 로봇 투입율이 올라갈 것이다. 돈을 버는 데는 인정사정 없는 법이다.

또한 쓰레기 문제는 기후 위기와 맞물려 있다. 지구 온도가 올라감에 따라 해수면 상승이라는 재앙도 앞두고 있는 것이다. 태평양 어느 작업 부족은 해수면이 올라가 안전지대로 모두 이주한 상황이고, 유럽의 어느 국가는 건물을 지을 때 홍수나 해수면 상승을 대비하여 지상에서 높게 짓는다는 뉴스도 들었다. 가장 확실한 건 제방과 같이 벽을 쌓는 방법을 것이다. 한국은 특히 해수면 상승 임팩트에 대비를 해야한다. 2050년경 인천의 경우 해수면이 4cm 정도 상승할 전망이라고 한다. 이는 지구 전체 평균 10% 이상 높다고 한다. 런던, 싱가폴, 뉴욕보다 높은 수치다. 우리가 흔히 아는 베네치아는 해수면 상승으로 인해 관광객 유입에 직격탄을 맞았다. 참고로 해수면 상승에 대처하지 못하면 그 지역은 전체가 쓰레기장으로 변모된다는 점도 있다.

이처럼 인천 뿐 아니라 한국은 서해 대부분이 지대가 낮다. 각 지자체들이 어떤 구역은 방벽을 치기도 하고 유럽과 같이 신규 건축물에 대한 가이드라인도 생길 것이다. 인공지능 로봇으로 수 많은 산업 중 쓰레기 문제부터 해결해야 하는 필자의 주장은 여러방면으로 환경문제에 대처하는 사안도 있지만 전 지구적으로 쓰레기 문제는 다음 세대까지 가면 안되는 중요한 테마이기도 하며 막대한 노동력을 필요로 하는 산업이기 때문이다.

15.인도 땅에 널려 있는 쓰레기는 8억톤!

100년간 방치!

<출처 - 레드트레인다큐멘터리 '인도 뭄바이 - 쓰레기의 도시'>

아래 글을 읽기 전 위의 링크를 통해 영상을 먼저 봐주기 바란다.

이처럼 뭄바이는 쓰레기 처리에 나름대로 생태계가 있다. 그러나 사람이 투입되는 일에는 한계가 있다. 특히 사람 몸에 해롭다고 판단되면 인건비가 상승되고 사람을 구하기 어려워진다.

필자가 '로봇을 어디에 먼저 쓰일 지?'에 대한 첫 지점을 쓰레기로 말하는 것은 이러한 로봇 특유의 장점이 있기 때문이다. 고된 환경에 사람이 투입되거나 일을 할 때 'Give up!'이 되는 환경이야말로 로봇 투입이 절실한 것이다.

영상을 보면 그 옛날 청계천이 생각난다. 다 뒤엎고 싶고 덤프트럭으로 쓰레기를 다 치워버리고 싶다. 재활용과 분류는 로봇에게 다 맡겨버리고 싶다. 물론 로봇과 전체적인 관리는 사람이 해야 한다.

인도의 쓰레기 현황은 산처럼 쌓인 쓰레기 산이 3천곳에 달하고 8억t이 100년동안 방치되고 있다. 총리까지 나서서 문제 지적하고 있는 상황이다. 누군가 나서서 쓰레기를 치워준다면 그 사람은 '인도의 신'으로 추앙받을 수 있다.

아울러 인도는 취수 문제도 심각하지만 인도 하층민의 삶의 질이 최악의 수준이다. 어느 수준인지 감도 못 잡을 것이다. 뭄바이에서 금 세공자는 오랜 시간 동안 앉아서 일을 한다. 그러면 자연스럽게 금을 세공 할 때 발생하는 금가루가 옷에 묻는다. 금세공 공장의 하수를 걸러 금을 발견해서 내다 파는 사람이 적지 않다. 충격적인 건 금세공 노동자의 집까지 쫓아가 그 집 하수나 주변의 흙먼지를 걸러내어 사금을 채취한다. 인도 하층민의 하루 노동 수입은 3,000~5,000원 수준이다. 월 30일 일하면 15만원 수준인 셈이다. 100만원이면 7명을 채용 할 수 있다. 인도의 부동산 업자들은 이런 지역을 개발하려 시당국에 압력을 넣는다고 한다. 그러나 우리도 70년대와 같이 집을 갖고 있는 사람들이 나름대로 생계를 유지하고 있기 때문에 부동산 업자의 말을 잘 듣지 않았다. 싸움의 대상일 뿐이다.

아울러 인도는 쓰레기 문제도 '윤회사상' 문제로 생각한다고 한다. 쓰레기 재활용의 생태계를 갖고 있는 뭄바이는 이 업종에 종사하는 사람에게는 당연하게 받아들이는 문화라고 생각하기도 한다. 산밑에서 50kg무게의 짐을 2km 높이의 언덕 집까지 배송하는데 1,200원이라고 한다. 둘이 나눠지면 1인당 600원이다. 이런 일을 30년 넘게 일한 사람이 많다. 그러나 이런 극한 직업을 선택한 그들은 가족이 있기 때문에 이 일을 한다고 한다. 그들은 힘들 때면 신앙의 힘으로 버틴다. 그들도 더 나은 일을 하고 싶지만 그런 일자리는 자기에게 돌아오지 않는다는 점을 잘 안다.

그러나 한국은 이런 유사한 문제를 해결한 경험이 있다. 산업단지를 조성해 지금의 소득보다 더 높은 기회를 주고 현재의 집보다 더 깨끗하고, 정수된 물을 마시며, 깨끗한 화장실 문화를 체험하면 그들도 점차 변화하는 모습에 고개를 끄덕이게 될 것이라 예상해본다. 한국은 개발을 잘 해냈던 경험이 있다. 기독교건 불교건 아니면 다른 종교 건 상관없이 개발했다. 가난한 사람이 잘 사는 모습을 보면 동서고금을 막론하고 '나도 저렇게 되고 싶다'고 생각한다. 후진국이나 개발도상국에 있어 한국은 선진국으로 갈 수 있는 좋은 '래퍼런스'인 셈이다. 그런 나라의 사람이 로봇을 통해 그 나라 사람들이 나서지 못했던 일까지 나서서 한국의 참 맛(!)을 보여주면 어떨까 싶다. 사람의 '극한직업'이라는 영역에 로봇은 그 이상을 훨씬 뛰어넘는 '지옥직업(?!)'까지도 두말없이 수행 할 수 있는 것이다. 이 대목에서 로봇과 인도 인건비가 차이가 난다는 점을 지적할 수 있다. 나중에 설명하겠지만 사람은 한계가 있다는 사실이다. 중장비를 동원해서 치운다고 해도 사람이 실제 투입이 되면 생명에 지장이 생길 수 있다는 점이다. 한국 내에서 주유소 유류 저장 창고를 청소하다가 유증기 때문에 폭발해서 죽은 사례도 있었다. 산처럼 쌓여있는 쓰레기를 치우는 문제는 결코 쉽지 않은 문제다.

동네 전체에 쓰레기를 해결하는 방법은 간단히는 매립이라는 수단으로 덮는 것이다. 그러나 그건 또 다른 문제를 야기한다. 적절한 쓰레기 순환이 이루어지지 않으면 인도 같은 case는 계속 쓰레기를 쌓아두는 상황이 반복된다. 아무리 쓰레기에서 생태계가 이루어진다고 해도 사람이라는 건 적당히 하면 그 다음으로 넘어가는 습성이 있다. 그게 쓰레기라면 적당함의 마음은 더 커진다. 지독한 냄새에서 빨리 벗어나려고 하기 때문에 제 아무리 인도 사람이라도 기계만큼 깔끔하게 일을 진행하기 어렵다는 것이다. 악취 나는 환경에서 묵묵히 일하는 관례는 국민성을 오히려 오염시키는 결과를 초래한다.

이런 관행은 중국의 사례도 있다. 중국의 '일대일로'가 그것이다. '일대일로' 정책은 욕심을 버리면 상당한 국가 브랜드를 구축할 수 있었던 정책이었다. 그러나 중국은 돈을 빌려주고 중국 사람을 채용해서 낮은 품질의 결과물로 '일대일로' 이름에 먹칠을 했다. 자국민이 낮은 품질로 결과물을 만들었다는 건 일에 대한 '적당함'이 작용했기 때문이다. 그렇게 때문에 부실이 일어난 것이다.

< 출처 : freepik.com, Designed by Freepik >

만약에 한국이 철저한 건축이나 토목시스템으로 높은 품질의 결과물로 보답하고 현지 사람들이 과거보다 높은 임금과 업무방식을 승계했다면 어떤 결과가 있었을까 싶다. 이 생각에 '과연 시장이 커질 수 있느냐?'고 반문하는 사람도 있을 것이다. 저개발 국가에 도로를 닦고 항만을 개선하고 댐을 건설한다고 해서 그들의 삶이 나아질 기미가 있었겠냐는 질문일 것이다.

필자의 대답은 중국 방식과 한국의 방식에서 비교해 볼 때 수혜를 받은 국가의 국민이나 정부는 더 나은 국가발전을 위해 선진 시스템에서 기회를 찾아볼 것이라는 점이다. 수동적이 아니라 능동적인 자세로 바뀌는 기회인 것이다.

과거 70년대 한국이 그랬던 것처럼 인공지능 사회가 도래하는 시점에서 저개발 국가는 선진국이 일하는 방식과 유지보수를 어떤 방법론으로 하는지, 그리고 또 다른 일을 할 때 새로운 노하우가 있는지 배우는 입장에서는 그 핵심을 찾으려 자존심이 상해도 어깨너머 배울 것이라는 점이다.

그러기 위해서는 일에 대해 올바른 접근방식을 그들 눈으로 직접 겪게 하는게 가장 빠른 길일 것이다. 물고기를 잡는 법이다. 그런 올바른 업무 습관(국제적인 업무 매너)이 쌓이게 되면, 분명한 건 식량, 제조 등 전방위적으로 '시장(Market)' 사이즈가 엄청나게 커질 것이라는 것이다. 세계는 식량 문제가 물 부족만큼 큰 숙제이기도 하다. 그들도 사람이기 때문에 앞으로 할 일에 대해 자신이 직접 찾고 함께 일할 로봇을 공급받아서 수행 할 것이라는 점이다.

로봇이 많아서 사람의 일자리가 없어지는 게 아니라 로봇이 만들어질 수록 사람에게는 그 기회가 많아진다. 70년대 박정희 대통령은 마을마다 시멘트를 무상으로 지급하고 자신들이 시멘트로 마을을 가꾸는데 사용함으로써 직접 변모하는 모습을 봤기 때문에 새마을운동이 성공적이라는 평가를 받았던 것이다. 과거에 시멘트가 준비되었던 것처럼 오늘날에는 로봇이 준비된 세상이 왔기 때문에 그 누가 먼저 앞으로 치고 달리는지에 따라 그 다음 세대는 안정성을 보장받을 수 있다는 점이다.

지구촌은 쓰레기, 식량, 사막, 얼음지대(시베리아, 북극 등), 오지 철도 사업 등 인간이 투입되기 어려운 3D 현장이 널려있다. 생각을 바꿔야 한다. 로봇이 꼭 제조업 현장에만 투입할 이유가 없다. 사람은 분명 신체적인 한계가 있기 때문에 로봇으로 그 한계를 깨부술 수 있는 도구로 발전시켜야 한다. 곧 로봇은 우주 소행성의 자원을 채취하는 '산업역군으로도 발전될 것이다'라는 점을 추정해보면 필자도 옳다고 생각한다. 사실 이건 누구나 생각할 것이다. '일론 머스크'가 달에 많은 '옵티머스'를 보내 달에서 광업을 하고 이를 제련 해 '사람들이나 국가로 하여금 시설이용료와 달여행 패키지를 돈으로 받는다'고 하는 웃지 못할 얘기도 인터넷에는 돌아다닌다.

작고하신 현대 '정주영 회장님'이나 삼성 '이병철 회장님'이 오늘날 젊은 모습으로 인도의 쓰레기 현황을 보신다면 뭐라고 말씀 하실까? 아니다. 월급 100만원주면 어디든 무슨 일이든 다 할 수 있는 로봇 1억대를 보면 무슨 사업을 하실지, 아니면 누구를 먼저 만날지 하는 재미있는 상상을 해본다. 정말로 궁금하면서도 두근거리는 상상이다.

"인도의 모든 쓰레기 지역'을 '서울'같이 만들어 주겠소. 비용은 10조달러요. 20년 내로 재활용 쓰레기로 에너지를 재생하고 그런 땅에 산업 단지로 만들어 부가가치를 만들 것이고, 그 땅에 서울의 아파트와 같이 깨끗한 주거환경을 만들어 보일 것이오!" (사실 내 뒤에 임금도 싸고, 더러운 일도 잘하고, 말 잘 듣는 놈들 1억명(Unit)이 있소.)

그러니 많은 '모션셋(Motion Set : 로봇이 일을 수행하는 임무수행 단위)'이 탑재된 클라우드 AI와 청년처럼 잘 움직이는 로봇 개발에 힘써야 한다. 아니면 온디바이스칩이 내장된 unit이라도 상관없다. 프롤로그에서도 언급했지만 미국의 테슬라를 포함한 로봇 벤처기업들은 수십억대의 로봇 노동 시장을 생각하고 있다. 방금 필자는 정주영회장님을 떠올렸지만 미국의 누군가는 '철강왕 카네기'에게 로봇을 주면 '무슨 일이 발생할까?'라고 생각할 수 있는 일이다. 어떤 수사를 써야 독자에게 이 상황을 설득할지 고민해본다. 과거 한국이 반도체 사업에 처음 뛰어들 듯, 경부고속도로의 첫 삽을 뜨듯, 포항제철을 짓기 위해 착공식을 시작하 듯 모두 미래를 위해 영웅들의 결의가 필요한 것처럼 제 2의 영웅이 움직여야 한다. 그런 비전을 보여줘야 한다. 지금의 한국에는 영웅이 없다.

16.사막에 태양전지 사업을 본격화 할 수 있다.

어느 유튜브 영상을 보니 사하라 사막에 태양판 전지를 모두 덮으면 무슨 일이 생기는지 알아보는 영상인데 결과는 이렇다.

1. 에너지 생산 : 사하라 사막은 일조량이 많아 태양전지 패널을 사하라 사막에 설치하면 막대한 양의 전기를 생산한다고 한다. 연간 130만테라와트의 전력을 공급한다고 한다. 참고로 미국의 연간 원자력발전량은 96기가와트 정도이다. 즉 96기가와트 / 130만테라와트 = 0.0000073% 비율이다.

2. 환경적인 측면 : 태양전지 패널이 모두 사막을 덮기 때문에 태양열 반사가 적어져 지상과 공중 간 기온 차이가 심해진다고 한다. 그러면 상승기류가 발생하여 구름이 발달하여 예전과 다른 강수량이 증가하여 사막의 생태계가 변화한다고 한다. 다시 말해 녹지화가 되는 것이다.

3. 사하라 사막에서 만들어진 전기를 수송하는데 막대한 비용이 들 수 있다는 점이 단점이다.

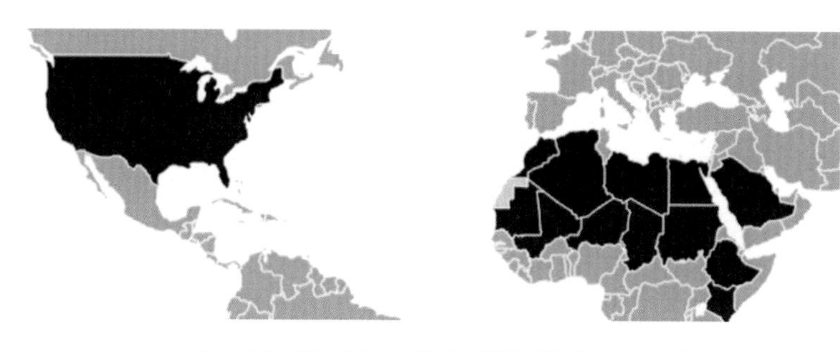

<미국 남부와 일부 사하라 사막에 태양광사업이 시작되었다>

단순히 유튜브 영상을 보고 말하는 것이 아니라 미국 IRA(인플레이션 감축법)에 대응 하기 위한 의미도 있는 것이다. 3번의 경우 현재 초전도 송

전케이블이 국내 대기업에서 상용화했다고 발표했었다. 기존의 구리로 송전할 경우 저항이 심해 먼 거리로 송전할 경우 경제성이 떨어지지만 초전도 송전케이블로 송전할 경우는 최소한의 전력 손실로 송전이 가능해 경제성이 있다고 생각한다. 다시 말해 사하라 사막과 인접한 국가(정치적으로 안정된 국가)와 컨소시움으로 태양열 전력 사업을 진행 할 수 있다고 생각한다. 수요는 유럽으로 스페인, 프랑스, 이탈리아에 케이블 송전선을 설치 할 수 있다면 탄소세와 전력 수익 그리고 농작물까지도 바라볼 수 있는 기회가 생길 것으로 판단된다. 지중해와 인접한 국가는 '해양담수시설'도 구축해야 한다.

이렇게 국가간 컨소시움으로 만들어 유럽으로 공급할 때 이 전기를 쓰는 기업은 아마도 RE100을 만족할 것이라 생각한다. 즉 RE100의 '수출기지'를 구축 한 것이라고 볼 수 있다. 혹시나 가능하다면 한국 땅에서 RE100이 부족한 상황에서 수출품이 RE100으로 발목을 잡는다면 협상이 가능한 여지가 있을 수 있을지도 궁금하다. '신재생에너지 인증서'와 같은 거래플랫폼이 있다면 해결가능하지 않을까 싶다. 왜냐하면 전기는 항상 100%를 쓰지 않는다. 여유분을 기록해서 탄소세처럼 수출이 가능한지 내수용으로 전환이 가능한지 궁금할 뿐이다.

계속해서 이런 기회는 로봇, 태양열전지, 송전케이블, 사막공사, 해양담수화 등 경험이 준비된 국가 중 가장 빨리 준비되어 있는 국가가 선점할 수 있는 기회인 것이다. 한국은 로봇만 빼면 모두 준비되었다. 그런데 로봇 문제는 다른 국가도 마찬가지다. 태양열전지와, 송전케이블, 사막공사 경험, 해양담수화, 사막 대수로공사 모두 한국이 제일 잘하고 있는 분야다. 아마도 우리의 고령자 중 이 분야에 경력자가 있을 것이다. 사막에서 일한 경력자말이다. 필자는 로봇만 준비된다면 이 막대한 블루오션에 한국이 선점할 수 있다고 본다.

17.인간이 걸었던 역사를 이제는 로봇이 답습한다.

인간의 역사는 구석기 시대부터 시작되었다고 한다. 물론 그 이전에 진화의 과정이 있었다. 그러나 '오스트랄로피테쿠스'부터 인간의 역사가 시작되었다고 말하는 사람은 거의 없다. 4대 문명부터 인간의 역사를 언급하는 것이 대부분의 사람들은 유물도 있으니 이야기 하기가 편할 것이다.

인간의 역사는 노동의 역사와 같다. 먹을 것을 얻기 위한 것과 생활을 하기 위해 몸을 움직이는 것이 노동인 것이다. 노동은 사람을 지속적이고 힘들게 한다. 그래서 그런 것일까? 옆 마을을 침략해서 약탈하고 사람들을 노예로 삼아 자신은 노동에서 해방되었다. 이런 노예 역사는 미국의 Civil war로 종식되는 신호탄이 되었지만 자본주의가 지속되는 이상 노예의 역사는 현재에 이르러 인권과 최저노동시급 이라는 안전장치로 계속 유지되고 있는 듯하다. 그러나 2030년 이후에는 본격적으로 사람에게 부여되었던 노동의 시련을 로봇이 승계하게 될 것이다. 단순 노동에서부터 부가가치 산업까지 전 방위적으로 로봇과 인공지능이 사람들의 직업을 대체하는 운명이 거의 다 온 것이다.

우선 아래의 매트릭스를 먼저 소개 하고 싶다.

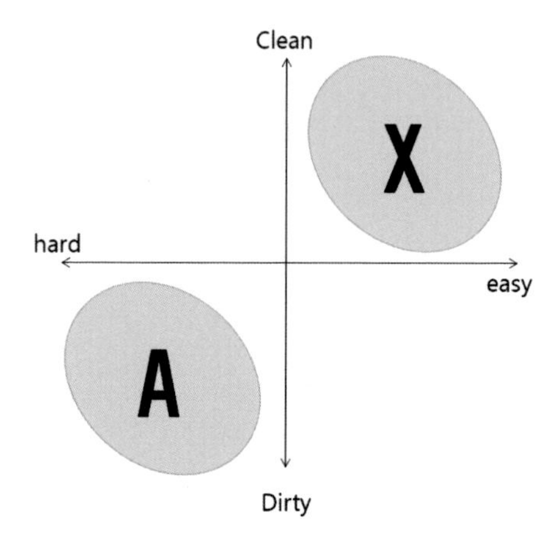

위 매트릭스의 A는 더럽고 힘든 일을, X는 깨끗하고 쉬운 일을 말한다.

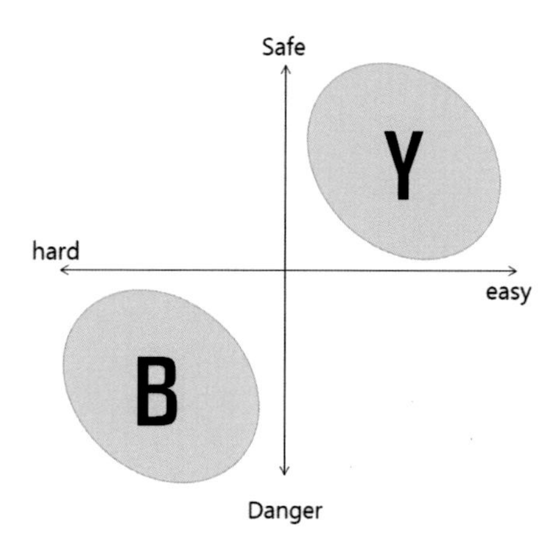

위 매트릭스의 B는 위험하고 힘든 일을, Y는 안전하고 쉬운 일을 말한다.

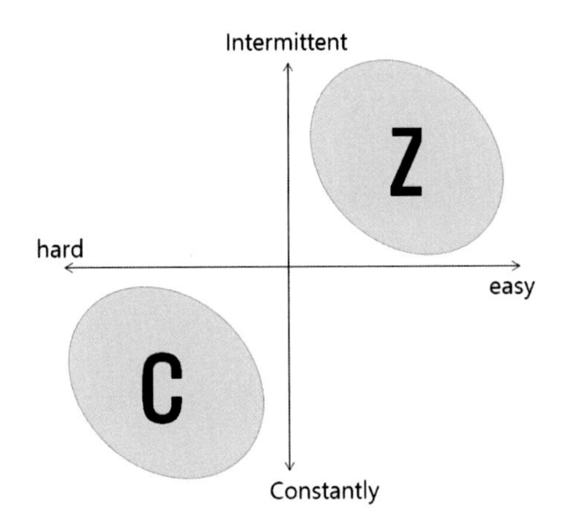

위 매트릭스의 C는 지속적이고 힘든 일을, Z는 간헐적이고 쉬운 일을 말한다.

여기서 필자가 말하고 싶은 것은 석기시대부터 1950년대까지 대부분의 사람들은 A, B, C군에서 일을 했다는 것이다. 정확히는 힘든 상황에서 지속적이고 위험하고 더러운 일을 했다는 것이다. 이는 역사가 증명하고 있다. 우리나라도 6.25가 끝난 상황에서 북한과 군사적 대치 상황이라 몸을 써서 3D업종에 많은 사람이 종사했다. 그러면서 자기 자식들은 공부를 시켜 가난의 대물림을 끊기 위한 많은 노력과 희생을 했던 것이다. 그 후 그런 자식들은 대학진학을 통해 화이트칼라가 되었던 것이다. 즉 몸을 쓰는 일보다 지식을 기반한 지혜를 발휘함으로써 자신과 자기자신이 소속된 단체의 가치를 높여갔던 것이다. 즉 1950년대 이후 세대의 사람들 일의 환경이 X, Y, Z 군으로 이동한 것이다. 오늘날 일하기 쉬운 환경에서 간헐적이고, 안전하고, 깨끗한 일을 하는 환경으로 진화한 것이다. IT와 기계 산업이 발달하면 할수록 이동 속도는 높아졌다. 그러나 한 가지 분명한 건 기술이 아무리 발달되었다 하더라도 A, B, C의 직종에 여전히 사람이 일을 한다는 것이다.

사람은 물리적, 화학적, 생물학적 한계가 있다. 시간당 높은 임금의 일과 산업재해 사고 뉴스의 일자리는 사람을 장기간 일을 하면 포기할 정도로 힘든 환경인 것이다. 월마다 만족하지 못하는 돈벌이가 되지 않으면 돈을 더 벌기 위해 힘든 일을 선택하기도 한다. 멀쩡히 잘 다니는 회사에 퇴근하고 돈을 더 벌기 위해 한 겨울날 배달 라이더를 하는 등 '투잡'을 한다. 무직자가 돈을 벌기 위해 위험한 현장에 가서 일을 한다. 힘들다는 원양어선 일도 포함된다. 가족을 부양하는 외벌이 가장일수록 이러한 경향은 짙다.

그러나 현재는 시간당 임금이 높아질수록 고용주는 로봇의 싼 노동력으로 대체하려 한다. 이미 한국을 포함한 선진국들은 로봇을 통해 TCO(Total Cost of Ownership)를 줄이고 있다. 즉 맨아워(Man-hour)를 낮추는 경영전략을 하고 있는 것이다. 대기업을 포함해 치킨집 같은 자영업자도 인건비와 경제적인 목적으로 로봇을 이용하는 추세다.

AI시대에는 사람들의 많은 일자리를 잠식한다고 한다. 어떤 학자는 저출산과 맞물려 이러한 흐름이 자연스러운 것이라고 한다. 앞으로 20년 후면 고령자를 돌보는 것도 아이를 돌보는 것도 로봇으로 대체된다고 말한다. 이런 말들이 사실 그럴 듯 하게 보이기도 한다. 그러나 한 가지 사실을 빼면 이는 대단히 위험한 생각일 수 있다. 왜냐하면 사람은 이기적이기 때문이다. 기업이 로봇을 렌탈하거나 세금을 내지 않고 소유하여 이윤을 올릴수록 양극화도 덩달아 올라갈 것이기 때문이다. 사회는 정부와 기업만 존재하는 것이 아니다. 사람이 모여서 나라를 만들고 기업이 만들어지는 것이다. 로봇이 법인을 만들 수는 없다. 자본가가 기업을 세우고 최소한의 사람만 고용하고 나머지 대부분 노동력은 로봇으로 대체된다고 생각해보자. 이 상황을 지켜보는 사람은 바보가 아니다.

반대로 위에 언급한 로봇이 1억대가 있다고 해보자. 어떤 이는 그저 '로봇이 1억대가 있구나..'라고 생각하는 사람도 있을 것이고 어떤 이는 '이

건 기회야!'라고 생각하는 사람도 있을 것이다. 기업에서 일해본 사람이라면 '입찰'을 한번 정도 들어보거나 경험을 해봤을 것이다. 입찰에서 중요한 건 '인건비'다. 흔히 M/M(맨 먼스)로 기술료(솔루션)와 M/M 또는 M/M로만 진행하는 견적 입찰은 얼마나 적게 쓰는 기업이 낙찰된다. 로봇의 인건비를 월 100만원 수준이라고 했을 때 로봇의 활동범위에 따라 더 많은 낙찰율을 높일 수 있게 있다. 즉 어느 정도의 자본가라면 중국의 값싼 노동력을 통해 만들어 내는 효과를 로봇을 통해 만들 수가 있는 것이다.

중국의 월 노동자 임금은 35~60만원 수준이다. 8시간~10시간 기준이다. 로봇의 월급은 100만원이다. 또한 실내에서 일한다면 거의 24시간이다. 밥 먹는 시간도 없다. '알리익스프레스'나 '테무(TEMU)'에서 만들어내는 값싼 제품은 아닐지라도 'Made in Korea' 버전의 양질의 값싼 제품을 만든다고 할 때 한국은 중국 이상의 노동력보다 더 잘할 수 있는 신흥 노동력 국가가 되는 것이다. 한국에 중국 인구와 똑같이 14억대의 로봇이 저임금 일을 할 수도 있다. 코로나19가 유행할 때 공장형 아파트에 마스크를 생산하는 일이 유행처럼 번진 일이 있었다. 그 때 가장 필요했던 자원이 마스크 기계보다도 단순노동을 하는 사람이었다. 기계에서 나오는 마스크를 정리하고 박스에 포장하는 사람이 없어서 손해를 본 사람이 많았다. 이 공장은 코로나19라는 호재에 여러 사람들이 돈을 모아 법인을 세웠던 것이었지만 바이어에 제 때 공급하지 못해 폐업을 했던 것이다.

위의 사례로 자신과 뜻이 맞는 여려 사람들과 합심하여 법인을 세우고 로봇을 사용해 새로운 시장을 개척할 수 있는 것이다. 물론 과도기는 분명 존재할 것이다. 법인을 세우는 방법조차도 모르는 사람은 그저 노동만을 원하는 사람도 있기 마련이다. 자본이 없는 사람도 있을 것이고 새로운 투자를 주저하는 사람도 있을 것이다. 과도기 시기에 가장 혼란한 부분이 수요를 찾는 일일 것이다. 수요는 국내보다는 해외에서 찾아야 한다. 그래서 앞에서 언급한 사막 태양광 전기공급 사업이나 쓰레기 재활용을 말한 것이다. 사람이 하고 싶어도 못하는 사업이 주로 로봇이 해야 할 사업인 것이다. 기존 제조업에도 투입을 할 수 있지만 이는 기존 노동자와 충돌된다. 조선업이나 지방 중소기업에 사람이 없다면 당연히 로봇이 그 자리를 대신할 수 있다. 그러나 현대/기아 자동차 공장에 로봇을 투입한다고 하면 엄청난 충돌을 야기 할 수 있다.

필자가 우려하는 건 프롤로그에 언급했듯이 미국과 중국이 저가 노동력 시장에 누가 먼저 선점하는 지 게임에 돌입했다는 것이다. 자주 언급하지만 한국은 이 상태라면 새우 처지가 된다. 80년대 말 미국과 일본 사이에 낀 반도체 산업과 비슷한 양상이다. 한국도 GR-1(중국)이나 옵티머스(미국) 보다 산업에 투입할 로봇을 하루빨리 만들어 저가 노동시장을 선점해야 한다. 선점하면 격차도 같이 벌어지는 것이다. 테슬라 전기자동차가 먼저 시장에 투입되어 자율주행의 선두주자가 된 것과 같은 이치이다.

그 중 대표적인 저가 노동 산업인 섬유산업에 적용할 수 있을 정도 목표로 삼아야 한다. 섬유산업은 대부분 제조업이다. 경공업이다. 경공업이기 때문에 노동 집약형이고 임금이 싼 업종이다. 한국에서 로봇을 대량 생산할 수 있는 기업은 삼성과 LG라고 생각한다. 가전을 포함한 전자제품의 양대 산맥과 같은 이 두 기업은 지구 전체에 테라포밍을 할 수 있는 수준의 시장이 있다는 것을 알아야 한다.

로봇 1억대 시장은 초기일 것이고 성숙기에는 20~30억대가 움직이는 시장이다. 갤럭시 스마트폰처럼 업그레이드 모델 생산부터 메인터넌스, 옵션 시장도 새로 생기는 것이다. 지구 촌의 자동차 시장보다 더 큰 시장이다. 배터리는 두말할 것 없다. 적어도 작업이 끝난 로봇의 배송이나 세척작업(배터리는 물에 약하다)은 인간의 몫으로 보인다.

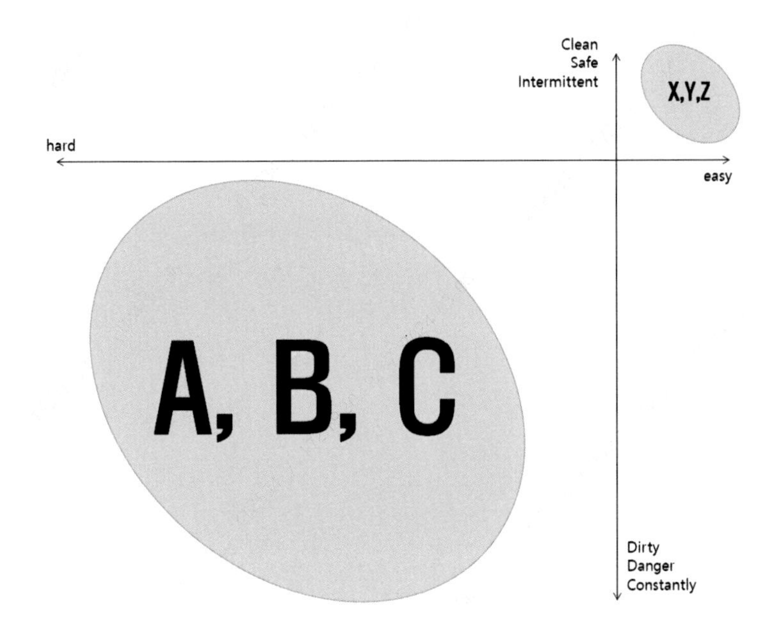

위의 그림은 앞서 소개한 A, B, C는 미래의 로봇 업무영역 군이고 X, Y, Z는 기존 사람이 일해왔던 영역 군이다. 로봇 영역 군에는 사람도 같이 일하는 부분이 있겠지만 대부분은 로봇이 사람의 한계를 뛰어넘는 일을 할 것이다.

예를 들어 앞서 언급한 사하라 사막에 태양열전지를 설치하여 유럽에 초전도 케이블로 수출을 하는 일도 포함할 수 있다. 시베리아에 자원 채취를 하거나 블라디보스토크에서 모스크바까지 새로운 고속도로나 고속철도를 추가하는 일도 할 수 있다. 어디 그뿐인가? 히말라야 사막에 터널 공사도 가능할 것이다. 이러한 일은 새로운 블루오션이다. 또한 30년 후에 소행성 지대에서 로봇이 자원 채취도 할 수 있다. 행성탐사도 사람보다 로봇이 먼저 탐사할 것이다. 현재 엔셀라두스에 물기둥이 발견된 이상

생명체 탐사에 로봇이 투입 되리라 본다. 얼음에 드릴링을 하고 바다 속으로 투입되어 새로운 생명체를 적극적으로 Searching 할 것이다.

정리하면 사람이 불가능이라고 여겼던 블루오션 시장에 대규모 로봇이 투입되는 상황을 우리의 상상력으로 기획해야 하는 것이다. A,B,C영역은 극한보다 더 심한, 사람에게는 지옥 같은 영역에서 활발히 움직여야 할 것이다. 앞에도 언급했지만 일론머스크가 화성에서 테라포밍을 한다는 건 사람이 아니라 로봇으로 각종 시설을 지어 사람이 오갈 수 있도록 첨병 역할을 하는 기획을 사람이 해야 하는 것이다. 로봇이 어떤 역할을 하는 기획과 영업을 사람이 해야만 사람과 로봇의 공존의 가치는 더욱 단단해 질 것이다. 이런 이유로 로봇이 대규모로 쓰일 때 사람의 일자리가 없어지는게 아니라 더 늘어날 것을 내포하고 있는 것이다. 로봇이 늘 수록 사람의 일자리는 더 많아질 것이다.

위의 매트릭스의 X,Y,Z는 또 다른 의미로 '大도시'를 말한다. 그렇다. 서울, 뉴욕, 베이징, 도쿄, 시드니 등과 같은 대도시를 의미한다. 깨끗하고, 안전하고 간헐적이고 쉬운 일자리는 대부분 대도시에 몰려있는 것이다. A,B,C는 지방을 말한다. 지방의 일자리를 구하는 농촌, 제조업 공장, 중소기업을 의미한다. 향후 근 미래에는 농촌과 중소기업이 아니라 극지방이나 우주까지 일자리 영역이 커지기 때문에 사람이 일자리는 모두 다 뺏기지 않더라도 자신이 경험했던 일을 로봇이 대체한다고 했을 때 적어도 그 관리자 자리는 사람의 몫으로 남겨지게 될 것이다.

필자는 다시 한번 말한다. 지금 1억대의 휴머노이드 로봇으로 지구상 할 일이 너무나도 많다. 누가 먼저 선점하는지 대한민국은 자신감을 가져야 한다.

18.기업은 2족보행 로봇을 소유하지 못해야 한다.

2족보행 로봇은 생산하는 자격을 가진 기업만이 생산해야 한다. 또한 어느 기업이나 단체가 로봇을 소유해서는 안된다. 오로지 로봇은 정부나 가계(개인)가 소유해야 한다. 기업은 가계가 소유한 로봇을 빌려 산업현장에 투입해야 한다. 대리운전과 비슷하다고 생각하면 된다. 정부는 로봇 노동 플랫폼을 만들고 기업과 가정에 이를 서비스해야 한다. 이 책은 저출산 해결을 목적으로 로봇 노동으로 전세집을 주기 때문에 굳이 따로 설명하지는 않겠지만 2족보행 로봇 임금은 가계에 흘러가야 한다.

No	Buy	use type	end user	revenue	TAX
1	Person	self	person	None	X
2	Person	rent	person/ company	100 만원/월	중
3	Family	self	Family	None	X
4	Family	rent	person/ company	100 만원/월	X , 하
5	Company	self	Company	None	상,중,하
6	Company	rent	person/ company	100 만원/월	중
7	Company (Vendor)	self	Company (Vendor)	None	상, 중
8	Company (Vendor)	rent	person/ company	100 만원/월	중

<표-1 : 로봇 구매 주체가 use type에 따라 수익배분방식과 세금 정책(상중하)을 분류한 함.>

No	Descript 1	Descript 2	Descript 3
1	개인이 사서 개인이 사용	1 차산업, 노인돌봄	
2	개인이 사서 타인이나 기업에 빌려줌	상설 플랫폼 등록	1. 1 인가구, 다수 로봇 구매 후 렌트가능 2. 6 번과 동일(개인사업자? 1 인법인?)
3	가족이 사서 가족이 이용	1 차산업, 노인돌봄	
4	가족이 사서 타인이나 기업에 빌려줌	1.3.5 정책 모델, 국가로봇노동플랫폼에 우선등록	1. 1.3.5 정책 미등록 가정은 세금부과! 2. 저출산 해결 가능!
5	기업이 사서 기업이 사용	부의 재분배 시스템 고장? 영세기업은?	1. 저출산 가속!!!! 2. 매출 규모에 따라 차등 세금부과? 3. 로봇 사용시간에 따라 세금부과?
6	기업이 사서 타인이나 기업에 빌려줌	로봇 렌트 사업자(대량구매)	
7	로봇제조사가 만들어서 직접 사용	로봇 제조사(대량생산)	1. 저출산가속!!!! 2. 매출 규모에 따라 차등 세금부과? 3. 로봇 사용시간에 따라 세금부과?
8	로봇제조사가 만들어서 타인이나 기업에 빌려줌	로봇 렌트 사업자(대량구매)	

<표-2 : 표-1의 연장선으로 use type에 따라 예상되는 사례>

위의 테이블은 기업이나 개인이 로봇을 사용 목적에 따라 세금 또는 수익 배분을 나타낸 표이다. 8가지 모델이 있는데 개인과 기업이 사용 목적 따라 분류 한 것이다. 여기서 중요한 지점은 로봇의 소유에 있다. 1번, 3

번은 가족이 붉은 표시(5번, 7번)로 한 건 기업이 로봇을 소유하는 모델이다. 간단히 말하면 세금이나 수익배분 없이 기업이 로봇을 소유해서 제조를 한다면 그 기업의 수익률은 엄청나게 올라갈 것이다. 즉 예전에 있었던 인건비가 로봇의 감가상각이 끝나고 나면 그때부터는 인건비는 0원이 되는 셈이다. 물론 실제 0이 되지는 않는다. 메인터넌스와 전기료가 지출되기 때문에 0원은 아닐 것이다. 예를 들어 MS(마이크로소프트)나 테슬라, 삼성, 소니 같은 대기업이 각자 로봇을 14억대를 생산해서 모두 렌탈로 한다고 한다면 그건 기업이 아니라 지구상에 여러개의 'China'인 셈이다.

로봇을 생산한 기업이 마음만 먹으면 모든 산업을 빨아들일 수 있는 것이다.

필자가 우려하는 지점이 바로 이것이고 이 책을 통해 말하고 싶은 화룡정점이다.

이 장에서 한가지 더 언급하고 싶은 건 정부도 로봇을 군사적인 목적에서는 소유해야 한다고 생각한다. 만에 하나 전쟁이 발발하는 경우 대규모 보병전이 벌어질 때 준비된 로봇병사들이 투입되어야 한다. 실제 전쟁 발발 시 미사일 공격, 항공공격, 지상기갑부대 투입, 그 다음이 보병전이라고 한다. 그러나 한국같이 산이 많은 경우 참호전이나 대규모 보병전이 있을 경우에 많은 수의 로봇병사들이 1진으로 투입되고 2진으로 사람이 투입되어야 희생을 줄일 수 있다고 본다. 해외 파병에도 마찬가지다.

물론 지금 당장 전쟁이 일어나지 않지만 군사적인 목적으로 2족보행 휴머노이드 로봇은 상시 준비를 시켜야 하는 의견이다. 보병분야에서 유무인 복합운용체계 MUM-T(Manned-Unmanned Teaming) 훈련도 익숙해져야 할 것이다.

19.노동은 누구의 것인가?

바로 '노동은 누구의 것인가?'라고 하는 사회적이고 근본적인 질문이다.

자본주의는 정부-기업-가계로 구성된 국가의 이데올로기이며 한국이 선택한 국제관행이다. 그러나 로봇으로 가계의 고유권한인 노동을 뺏어 간다면 자본주의는 결국 정부-기업만 남게 되는 꼴이다. 빌게이츠가 로봇을 사용하면 '로봇세(TAX)'를 지출하자!라는 의미는 바로 이런 구조를 예상했을 것이라고 생각한다. 로봇세는 세금으로 거둬들인 후 복지로 지출될 수 있다. 로봇세로 지출되면 가계로 100% 흘러가지 않고 정부 입장에서 위급하고 긴급한 부분에 투입이 될 수 있다.

코로나19가 대표적인 예라고 생각한다. 국민의 건강을 위협하는 펜데믹 상황은 한 국가에 있어 막대한 지출했음을 우리들은 보았다. 그러나 로봇 임금은 다른 문제다. 물론 세금이냐? 임금이냐? 이 두가지 중 장단점을 유추하는 건 국가마다 상당히 복잡한 상황을 고려한 후 적합한 모델을 선택해야 한다. 한가지 공통적인 건 로봇이 일을 해야 세금도 낼 수 있고 임금도 받을 수 있는 점이다. 로봇을 세워두고 있다고 해서 세금을 매길 수 없다. 자동차는 주차장에 나둬도 자동차세가 나오지만 로봇은 아마도 그렇게 하진 않을 것이다.

로봇이 사람처럼 움직이는 건 시간문제다. 지금의 로봇은 아기처럼 움직인다. 사람은 아기로 태어나 20년이 지나면 최고의 움직임과 노동력을 뿜어낼 수 있다. 그러나 로봇이 지금 아기처럼 움직인다는 것은 몇 년 안에 청년처럼 말을 알아듣고 모셔닝(Motioning)을 할 수 있다는 것이다.

<출처 : freepik.com, Designed by Freepik >

어디 그 뿐인가? CAD파일만 있고 자재가 있다면 로봇 스스로가 포크레인이나 타워크레인을 움직여 아파트를 지을 수도 있다. 사람보다 덜 움직이는(전기도 덜 쓰는 즉 에너지를 최소화하는) 즉 효율적인 움직임이 보장될 것이다. 건설현장이나 다리를 짓는 토목공사 현장에서 타워크레인으로 로봇이 H빔을 적절한 위치로 옮긴다고 했을 때 기존 사람은 무전기와 크레인 기사 자신의 시력으로 조작하겠지만 로봇은 상공에 올려져 있는 H빔을 기준으로 밑에 있는 수 많은 로봇이 자신의 렌즈로 각자 모두 삼각 측량을 하여 클라우드로 보내고 최적의 움직임을 크레인 조작 로봇에게 데이터로 보낼 것이기 때문이다. 어디 그뿐인가? 현장의 감독자는 그 상황을 Display(모니터, 태블릿 등)로 모니터링 할 것이다.

만약 기업들이 로봇으로 지금의 인간 노동을 모두 대체한다고 했을 때 지금의 국민은 노동의 기회를 잃는 건 둘째치고 국가가 지급하는 기본소득으로 삶을 영위하는게 과연 옳은 국가의 모습인가 하는 것이다. 필자는 경제학자는 아니지만 경제학을 몰라도 이렇게 될 우려가 농후 때문에 본 책을 집필하게 된 것이다. 필자가 이상적으로 생각하는 건 로봇과 같이 노동하는 환경에서 사람의 역할은 '책임'이라는 것이다.

기존의 파이를 로봇으로 대체하는게 아니라 사람과 공존할 수 있는 전체 파이를 키우는 것을 말하는 것이다. 예를 들면 아파트를 짓는 다고 할 때 모든 공정마다 누구의 책임이 있냐?는 것이다. 아파트를 지었는데 부실공사로 아파트가 무너진다면 현장 책임자만 책임이 있지 않는다. 각 공정의 품질을 담당하는 담당자도 책임이 있는 것이다. 기둥을 만든다고 할 때 기초공사, 철근공사, 거푸집, 콘크리트 작업과 검증까지 로봇이 모두 할 수 있어도 사람이 절차상 필요한 일에 대해서는 책임과 재검증이 필요한 것을 말한다.

이처럼 로봇과 사람은 공생을 해야 하며, 로봇의 노동으로 발생하는 임금은 사회가 앞으로 나아갈 수 있는 최소한인 것이다. 그래서 필자는 한달에 로봇이 일해서 받는 임금을 100만원이라고 생각한 것이다. 그 100만원으로 저출산 문제를 해결할 수 있으며 앞으로 태어날 사람의 교육과 의료비 지원, 주거지원, 고령자 지원에 있어 상당한 도움이 될 수 있을 것이라고 생각하기 때문이다.

기업은 수요를 쫓아야 한다. 인도 냉장고에 자물쇠가 달려서 판매되는 건 현지 수요의 요구사항을 받아들였기 때문이다. 로봇으로 인해 사람이 근로할 수 있는 기회가 없다면 정부-기업-가계 모두 벼랑으로 떨어지는 꼴이 될 것이다. 사람이 물건을 사야 기업의 이익이 쌓인다. 정부, 기업, 가계는 로봇의 임금이나 세금을 다양한 데이터에 근거로 합의를 해야 한다. 로봇이 기업 이익 활동에 투입이 될 때는 국가 노동 플랫폼에 시급 단위로 활동할 것이라고 본다. 그래야 정산이 깔끔하다. 에스크로(Escrow) 방식을 취해야만 플랫폼으로서 가치가 만들어진다.

20.Digital Knowhow & AGI

로봇의 역사는 아주 오래 되었다. '위키백과'는 '로봇'검색하면 아래와 같은 결과가 나온다.

Robot이라는 말은 1920년 체코슬로바키아의 극작가 카렐 차페크(Karel Čapek)의 희곡 R.U.R.(Rosuum' s Universal Robots)에서 처음 사용되었다. 로봇의 어원은 체코어의 노동을 의미하는 단어 'robota'라고 알려져 있다. 또한 이렇게 정의하고 있다. 로봇(문화어: 로보트, 영어: robot)은 다양한 작업을 자동으로 수행하도록 프로그래밍된 기계 장치다. '프로그램으로 작동하고(programmable), 사람이 직접 수행할 수 없는 어렵고 복잡하며 위험한 일련의 작업들(complex series of actions)을 사람 대신 실행하는 기계적 장치다.'라고 나온다.

필자는 일단 로봇 전문가는 아니다. 인공지능 전문가는 아니다. 다만 검색 서비스에 대한 경력과 이해가 있기 때문에 자연스럽게 검색 > 빅데이터 > 대규모 언어모델 LLM(Large language model), 머신러닝, 강화학습에 관심을 두었던 것이다.

로봇을 처음 경험한 건 초등학교 시절 최초 기억나는 것은 '금성전자'의 브로셔에서 봤던 '노란색 로봇팔'이었다. 그때가 1984년으로 기억한다. 필자의 어머니께서 필자와 친형을 위해 'MSX' 8비트 컴퓨터를 사줬다.

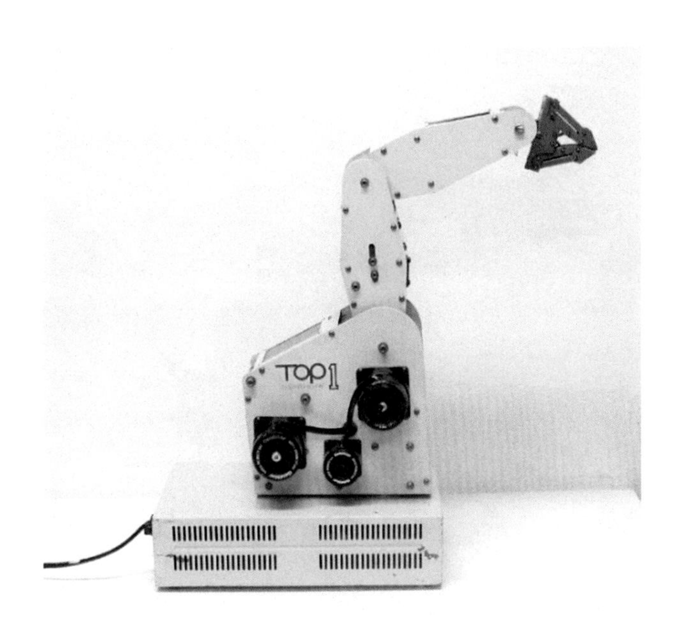

<출처 - 네이버 블로그 '진스맥' : 금성사의 로봇 FC-100에 연결되었던걸로 기억..>

그리고 '금성' 브로셔에 '로봇팔'을 판매한다는 제품가격과 사양을 본 기억이 있다. 그 때는 필요도 없는 로봇팔을 상당히 갖고 싶었던 것 같다. 컴퓨터를 샀으니 로봇팔도 필요해 보였던 것 같다. 지금 생각해보면 어린 마음에 처음 느껴보는 '과학'의 동경이었다. 1984년 내 나이 9살이었다.

몇 년 후 필자와 친형은 전자부품으로 만드는 라디오, 감지기 등을 만드는 책을 사서 을지로 세원상가를 돌며 부품을 구해 납땜을 하면서, 3석, 5석, 6석 라디오, 감지센서 등 다양한 전자제품을 만든 기억이 있다. 지금도 ‘만능킷트’를 못산 것이 한이다. 그러면서 자연스럽게 종로3가의 영화관에서 영화를 보는걸 즐겨 했었다. 중학교 올라와서는 RC카를 즐겨 했다. 이런 어린 과정이 있었기 때문일까? 공상과학과 컴퓨터, 전자 제품은 필자에게는 친숙한 놀이 상대였다. 그 후 필자는 서울 소재 공고에 진학하면서 ‘섬유과’에 입학했다. 제직, 편직, 부직포, 염색 기술을 배우는 3년 과정이었다. 필자는 기계에도 관심이 있었는데 그 중 ‘직기’와 ‘편직기’를 특히 좋아했다. ‘직기’를 아시는가? ‘직기’는 베틀을 기계화한 장치를 말한다.

옛날 사람들이 입었던 삼베, 면, 비단 등 모두 ‘베틀’을 통해 만들어졌다.

<출처 : 유튜브 : Weaving on the Ashford jack Loom>

위의 그림이 우리가 흔히 말하는 '베틀'이다. 수작업으로 날실(세로실)과 씨실(가로실)을 교차하면서 직물을 만들어내는 장치다. 전기가 없던 시절은 저런 과정을 통해 옷감을 만들어 낸 것이다. 또한 '직기'는 '베틀'을 현대화한 기계이며 우리가 입고 있는 '직물'을 짜는 기계를 통칭한다. '직물'의 뜻이 어렵다면 청바지나 양복같은 의류 원단으로 이해하시면 된다.

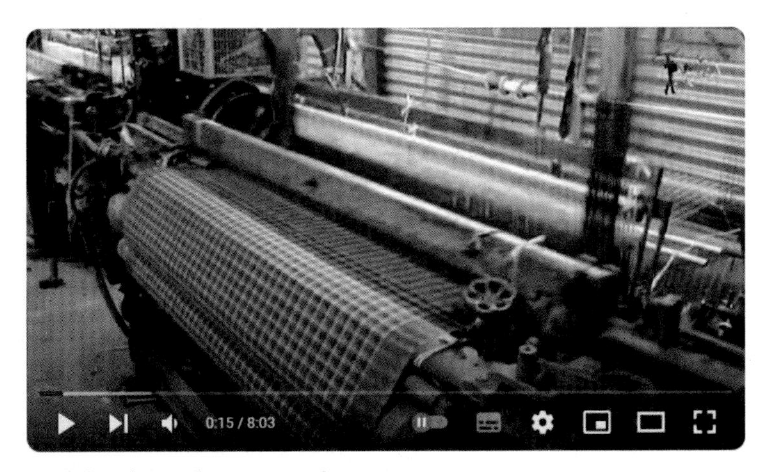

<출처 - Textile Vlog : Traditional Weaving Process in Power Loom>

위의 사진이 원단을 만드는 '직기'다. 하지만 원리와 이해를 돕기 위해 일

부러 오래된 자동 직기 링크를 첨부한 것이다. 현재는 엄청난 속도로 직물을 만들어 낸다. '편직물'은 영어로 '니트(Knit)'라고 한다. 우리가 옷을 살 때 그 '니트'를 말하는 것이다. 60~80년대 대구나 서울 구로공단 시절 '요꼬'라는 기계로 '베틀'과 같이 수작업으로 직물과 같이 편물을 만들었다. 지금은 유럽이나 미국에서 가정에서 수동용 'Knitting Machine'인 'LK-150'같은 제품으로 직접 가족의 스웨터나 니트를 짜는 모습들도 많다.

Machine Knit Sweater for Beginners | Any Flatbed Machine | Pattern & Tutorial

<수동니트머신 : 실을 기계에 걸고 핸들을 잡고 좌우로 움직이면 아래로 편물이 나온다.>

위의 링크를 보면 아시는 분들도 있을 것이다. 니트를 짜는데 손뜨개 보다 좀 더 효율적으로 짤 수 있는 수동니트기계다. 직물은 손으로 잡아당기면 늘어나지 않지만 니트는 손으로 잡아당기면 늘어난다. 구조적인 차

이가 있는데, 직물은 실이 가로세로 겹쳐서 2차원 면을 구성하고, 니트는 한 줄의 실로 'Hook(고리)'를 만들어 2차원 면을 만드는 게 차이점이다.

필자는 1998년 IMF 시절 신철원의 니트공장에서 3년간 일을 했었다. 군대를 바로 가려 했지만 불행하게도 필자의 또래들이 모두 군대를 지원해서 10달 정도 대기를 해야 하는 상황이었다. 시간을 그냥 보내기가 싫어 병역특례업체로 3년간 지내게 된 것이다. 필자가 3년간 니트공장에서 근무한 건 '로보틱스(Robotics)의 기초를 이해하는데 많은 도움을 주었다. 그 당시 공장에서는 독일의 '스톨(Stoll)'제품과 일본의 시마세키(Shima Seiki)' 제품으로 스웨터를 만들고 있었다. 그 중 필자는 스톨 제품을 관리하였는데 처음 봤을 때도 그렇고 지금 회상해봐도 상당히 인상적이었다.

1998년 당시의 환경은 SGI(Silicone Graphics, Inc.) Unix OS인 아이릭스(Irix)를 스톨(Stoll)사가 포팅하여 시릭스(Sirix) OS 환경에서 니팅 디자인 어플리케이션(Knitting Design Application)을 통해 니트 디자인 파일 완료하면, LAN 환경에서 관리자가 니트 머신으로 가서 의류 목록을 선택하고 속도와 몇 가지 설정만 하면 자동으로 니트를 짜는 기계였다. 1998년에도 이미 '스마트 팩토리'는 일반적인 상황이었던 것이다.

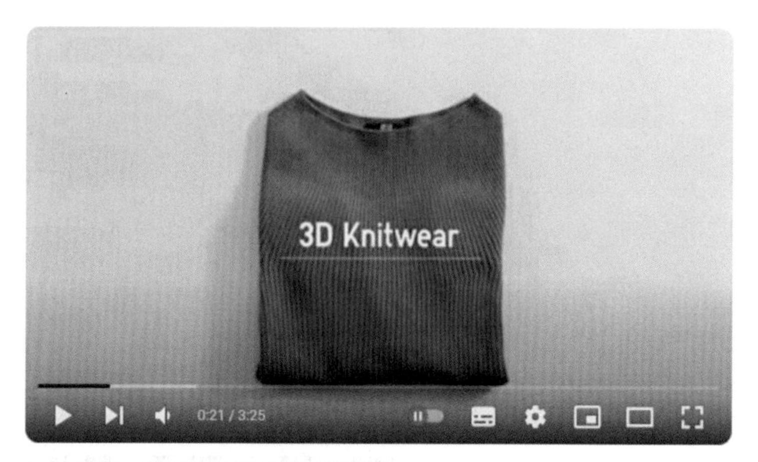

<출처 - 유니클로 : Behind the LifeWear 3D Knit>

위의 동영상은 시마세키(Shima Seiki)로 만든 유니클로의 3D 니트 제작 영상이다.

그리고 아래 동영상은 자동차회사인 'Ford'의 자동차 시트를 스톨(Stoll)로 만든3D 기술을 소개한 것이다. Youtube인 만큼 자막을 한글로 수정해서 보기 바란다.

Ford: 3D knitting - The Future of Interior Fabrics

<출처 - Ford : 3D knitting - The Future of Interior Fabrics>

필자가 수동으로 움직이는 '수동니트기계'부터 자동으로 움직이는 '3D 편직'기술까지 간략하게 소개했다. 필자는 앞으로 다가올 로봇 환경에서 일반인보다 먼저 인간과 함께 안전하게 일할 수 있는 협동 로봇 (Collaborative robots, Cobots)을 경험 했는지도 모른다. 과거 니트 분야는 스마트 팩토리가 보편적인 상황이었다. 필자의 경험담을 알려드리면, 다른 분야는 몰라도 편직 기계 기술은 우리가 아는 프린터와 비슷하다 횡 방향으로 좌우로 움직여 결과물을 뱉어내는 구조만 본다면 유사하다. '수동니트기계'라는 기계를 조작하여 사람이 몸을 움직여 결과물을 만들어낸 옛날과 달리 요즘은 '로보틱스' 기술을 적극 사용하여 '소품종 대량생산' > '다품종 소량생산' > '다품종 대량생산'의 체제로 변화했다. 과거 브랜드 니트는 비쌌으나 지금은 SPA(유니클로, 탑10 등)가 대세인 것처럼

말이다. 테무, 알리익스프레스에서 파는 의류도 거의 이런 공정을 거친다.

한국은 90년대 초 중국과 수교하면서 섬유 공장들이 중국으로 진출했다. 이유는 하나였다. '인건비'였다. 그 당시 100만원이면 중국인 8명을 고용할 금액이었다. 98년 필자가 일했던 공장에도 천진아가씨들이 2년간 계약직으로 일하고 집으로 돌아가면 집 한 채는 거뜬히 살 수 있었다고 들었다. 20년이 지난 지금은 중국도 인건비가 많이 올랐다. 그래도 공장 인부의 월 인건비는 35~60만원 사이라고 들었다. 3교대 기준이다.

한국의 단면을 보면 현재도 서울 동대문구 장안평이나 성남 인근에 '스톨'이나 '시마세키'를 돌리는 공장이 몇 군데 있으나 직원을 많이 쓰지 않는다. 최근 이 분야에서 20년동안 니트 디자인을 하는 지인과 식사를 같이 하면서 '장안평' 공장을 방문한 적이 있었다. 해가 갈수록 일감이 떨어지는 상황에서도 기계 8대 정도 설치하고 3명이서 회사를 운영하고 있었다. 디자이너 1명(필자 지인), 사장 2명 전부 3명이다. 회계를 보는 경리도 없고 궂은 일을 도맡아 하는 외국 노동자도 없다. 공장 사장 2명이 잡일과 8기계를 관리하고 있는 것이다. 이런 이유가 뭘까? 직설적으로 일감이 없다는 이유가 첫번째이고, 해외 개척에 필요한 영업망과 투자여력이 부족한 것이 두번째 이유 일 것이다.

니트 공장은 '편직료'로 단가를 계산한다. 아시는 분은 아시겠지만 '공장에서 기계를 돌린다'는 건 시간이 곧 돈이다. 바이어가 끊기지 않으면 기계를 돌리는 건 곧 '돈복사'를 의미했다. 편직 기계도 시간당 짤 수 있는 수량이 모니터에 나와 생산량이 어느 정도 인지, 그게 얼마인지 바로 계산이 된다. 지금 한국은 중국보다 확실히 인건비가 비싸다. 장안평에는 편직한 제품을 옷으로 결합하는 '가공공장'도 많이 없어진 상황이다. 그 옛날 많았던 '미싱사'가 없다는 말이다. 지금은 고급기술자다.

1998년에 필자는 공장의 노동자로서 'GAP', '바나나 리퍼블릭'이 잊혀지지 않는다. 3년 내내 이 옷들만 만들었던 기억밖에 없다. 외국 바이어가 공장에 찾아와 회사 영업사원과 대화를 하는 장면을 자주 봤었다. 그 때는 중국이 니트 생산을 이제 막 시작하는 단계였고 한국은 마무리가 진행되는 단계였다. 그래도 규모가 큰 공장(70대 정도)이니 가격 경쟁력이 있었다. 저임금의 천진 출신 중국 노동자(월 40~50만원)와 병역특례병(월60~70만원)들이 24시간 2교대로 서서 일하면서 만들어낸 대량생산 제품이니 가격과 품질 면에서는 나쁘지 않았던 모양이다. 바이어 입장에서는 가격협상이 되었다. 적어도 2001년 필자가 제대(?)할 때 까지는 그랬다.

필자가 이 책을 쓴 배경 중에 하나가 바로 '한국형 리쇼어링'이다. 한국형이라는 수사를 달아서 뭔가 특별한 게 아니라 해외에 있는 한국 공장을 다시 한국으로 불러들이는 것이다.

필자가 제안하는 방향이 바로 이것이다. 공장환경에서 일을 할 수 있는 로봇을 준비시켜야 하는 의미다. 지자체는 로봇을 준비시켜 해외의 기업을 불러들여야 한다. 외자를 유치해야 한다. 반드시 국내기업만 아니라 해외기업도 대환영이다. 경기도를 벗어나 충청도, 전라도, 경상도에 유치해야 하는 것이다. 정부나 지자체가 주도적으로 로봇의 Performance를 알아야 해외에 마케팅 할 수 있다. 한국의 로봇은 강화학습, 온디바이스, 인공지능 클라우드 수준이 어느 단계까지 일을 할 수 있는지 '유튜브'든 '틱톡'이든 마케팅을 통해 매력을 발산시켜야 하는 것이다.

계속해서 니트 얘기를 더 하자면 니트 공장의 노동자들은 단순 반복 작업이 많다. 전체 작업량의 80%이상이 단순작업이다. 이러한 단순 작업이 많다면 오히려 로봇이 사람보다 나은 부분도 있다. 기계로 옷을 짜다 보면 불량이 생긴다. 니트는 플랫배드 니들(Flatbed Needle)하나가 부러지면 짜는 족족 모두 불량 상태가 된다. 니트 옷의 앞면을 짠다고 했을 때, 부러진 바늘이 가운데 위치면 폭 40cm 니트가 한 줄만 세로로 올이 빠진 채로 나오게 된다. 조명으로 니트를 비추고 있으니 원숭이라도 금방 발견한다. 그러나 앞면 양 사이드 가장자리 부분에 니들이 부러지면 육안으로 잘 안보이기 때문에 몇 십장 몇 백장 잘못 편직 하는 수가 있다. 왜냐하면 옷의 특성상 2D형태로 나오기 때문에 옆면은 돌돌 말려서 나오기 때문이다. 스톨이나 시마세키 모두 1inch 당 Gauge 규격이 있다. 보통은 12Gauge가 많다. 1inch에 바늘이 12개가 삽입되는 규격이다. 12Gauge 옷은 한 올 한 올이 촘촘하다. 어떤 기계는 14Gauge도 있다.

옷을 짤 때 실(yarn, corn)을 기반으로 짠다. 실은 한번 염색 할 때 Lot No(Number)가 똑같다. 같은 염색 통에 두 번째 염색할 때 Lot No가 틀려진다. 같은 색상의 실로 앞면, 뒷면, 소매, 옷깃(부속)을 만들어야 한 벌의 옷이 된다. 생산할 때 100벌의 옷을 짤 건지 200벌의 옷을 짤 건지에 따라 바이어는 염색 공장의 발주를 넣어 편직 공장으로 보내준 다음 공장사람들이 실을 아껴서 편직을 하는 것이다. 물론 바이어는 Loss%를 계산해서 발주를 넣는다. 그런데 이렇게 올이 빠진 채 나오면 그 불량 니트를 다시 '파사(破絲, 불량니트를 다시 실로 만들기 위해 한 올 단위로 다시 풀어내는 과정)'과정을 통해 실로 만드는 과정을 거쳐 기계로 다시 짠다.

왜냐하면 같은 Lot No로 편직을 해야 하기 때문이다. Lot No가 다른 실로 옷을 짜면 균일한 색상의 옷이 나오지 않기 때문이다. 같은 염료통에 담가 염색 순서만 다를 뿐인데도 색상이 미세하게 다르게 나오는 것이다. 필자는 어지간한 제조업도 이와 틀리지 않는다고 생각한다. 필자가 우물 안 개구리일 수 있다. 다만 필자가 말하고 싶은 건 이런 불량은 오히려 로봇이 더 잘 잡아 낼 수 있다는 점을 말하고 싶은 것이다. '파사'같은 과정이 없다면 시간과 돈이 줄어든다. 기업을 운영하는 입장이라면 피하고 싶은 공정이다.

이처럼 기계에서 생산된 옷을 정리하는 단계까지, 즉 기존에 생산직이 하던 업무를 앞으로 로봇이 담당하는 시대가 온 것이다. 10년도 안 남았다. 이미 구글에서는 옷을 정리하는 로봇도 등장했다. 오히려 필자의 경험에서 보면 위에서 언급한 니트 공장 작업이 조선소에서 파이프 용접을 하거나 아파트를 짓는 건설현장에 시멘트를 부을 거푸집을 만드는 일이 더 쉬워 보인다. 오해는 말자. 일이 쉬워 보이는 의미는 노동의 강도가 아니라 일의 '행동 중복률'을 따질 때 그렇다는 것이다. 필자가 과거 모두 겪은 본 일이다. 물론 일에 따라 '행동 중복률'이 수 없이 다른 일도 많다.

아울러 기존 제조업에 종사하는 사람들은 공통적으로 모두 다 사람이 아니면 어렵다고 말한다. AI의 정보를 적게 접한 사람일수록 그 빈도는 높다. 로봇이 포크레인을 몰고 땅을 파고 토목 현장을 누빌 수 있는 것이다. 필자의 지인 중 한 분은 요리사이다. 주방에 요리를 하는데 로봇을 투입시키는 것이 거부 반응부터 보였다. '우리 식당은 고급 레스토랑이라 주방에 로봇을 들일 수 없어. 아직은 할 수 없을 거야', '우리가 하는 일은 로봇이 하는데 시간이 걸릴 거야.'라고 말한다. 필자는 'No'라고 말하고 싶다. 필자가 생각할 때는 노동자 고유의 일은 로봇이 할 것이라는 '운명'이 정말 서서히 다가오고 있는 것이다.

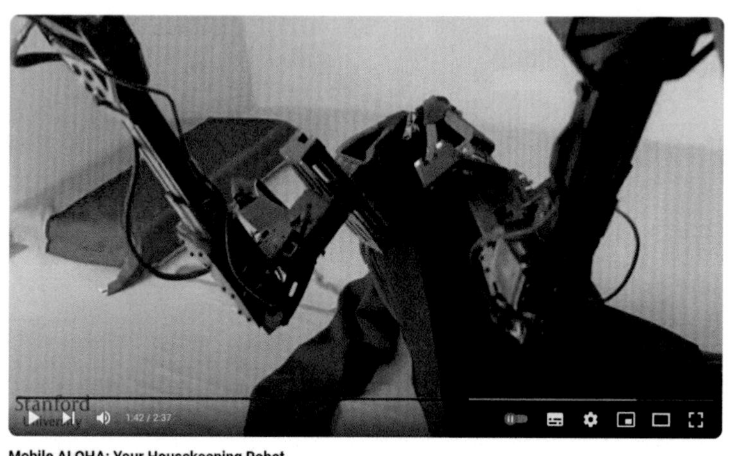

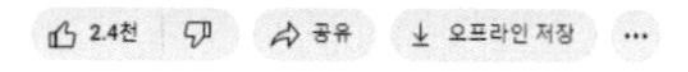

<출처 - Mobile ALOHA, "Your Housekeeping Robot">

로봇은 이제 사람이 일하는 모습을 답습 할 수 있다. 인간의 행동이 AI의 학습 데이터가 되는 것이다. 위의 동영상처럼 구글의 '알로하'는 가정일 업무를 거의 할 수 있는 것처럼 보인다. 물론 사람이 뒤에서 선행 일을 하면 로봇이 답습을 통해 일을 수행한다는 것이다. 필자는 이 책 서두에 먼저 '사과나무를 심는 로봇'이 모든 것을 가져간다고 언급했다. 필자가 다시 한번 말하고 싶은 요점이다.

우리는 모두 거의 스마트폰을 쓰고 있다. 스마트폰은 안드로이드폰(구글 계열)과 iOS폰(애플)이 있다. 모두 구글이나 애플이라는 뜻이다. 각 OS마다 게임이나 다양한 목적에 맞는 기능 앱(APP)들이 있다. 그 앱을 쓰면서 스마트폰은 확장된 기능으로 편리함을 제공해 왔다. 로봇의 시대에는 스마트폰의 APP처럼 로봇 확장 기능이 존재할 것이다. PC에 많은 프로그램이 있어 사무자동화(ex : 오피스프로그램, CAD프로그램)가 있는 것과 마찬가지다. 필자가 생각하는 건 기업의 자산이 APP화(化) 될 것이라는 점이다.

이 말은 각 기업의 자산이 오라클DB, MysqlDB과 같은 RDBMS(Relational DataBase Management System, 관계형 데이터베이스 관리 시스템)에 저장되어 있는 걸 말하는게 아니다. 건설사로 예를 들면 과거나 앞으로 지어야 할 건축 CAD파일과 로봇의 '모션셋(Motion Set : 로봇이 일을 수행하는 임무수행 단위)'까지 포함한 APP이라는 의미이다.

예를 들어 아파트를 짓는 로봇이 있다고 치자. 그럼 LH공사가 평택 지구에 아파트를 짓는다고 할 때, A건설사(시행사)에게 발주를 넣는다. 그럼 B시공사가 그동안 보유한 A건설사의 클라우드(Cloud)에 저장되어 있는 '자산'(CAD파일+모션셋)을 돈을 내고 로봇에 다운로드 시켜 아파트를 짓는 것이다. 투입되는 로봇 모두 같은 '자산'(이 후로는 '모션셋'으로 통일한다)이 탑재되는 것이다. 대략 이런 내용이다.

A건설사는 어떻게 '모션셋'을 클라우드에 저장할 수 있었을까? 첫번째 동일한 설계의 아파트를 짓는데 사람 인부에게 '모션 학습 캡쳐 수트'를 입히고, 아파트를 짓게 한 것이다. 그럼 각 아파트를 짓는 공정 별로 로봇이 학습할 데이터가 쌓이는 방법이다. 두번째는 CAD파일과 현장의 환경을 분석해서 기초공사부터 아파트를 올리는 과정까지 모두 스스로 알아서 짓는 것이다. 물론 사람이 감독하에 작업이 진행된다. 로봇이 엉뚱한 행동을 하려 할 때 감독관은 대화로 행동을 수정할 수 있다. 이런 많은 수정 과정을 통해 아파트 단지가 만들어 지는 일련의 데이터를 클라우드(Cloud)에 올리는 것이다.

현재 수준에서는 이 두가지 중 첫번째 정도만 가능해 보인다. 아파트 디자인 파일로 다른 아파트를 지을 때는 업데이트 되는 부분만 학습 하면 된다. '모션 학습 캡쳐 수트'가 이해가 아마 안 갈 것이다.

위의 사진은 영화 '아바타'의 배우가 착용한 VXF 캡쳐용 '모캡수트(MOCAP SUIT)'이다.

<출처 - VFVX : WHAT MOCAP SUIT SUITS YOU? >

'모션 학습 캡쳐 수트'는 아직 정의되지 않았다. 다만 위의 '모캡수트'는 필자가 언급한 '모션 학습 캡쳐 수트'로 발전할 개연성이 보인다.

건설사도 이제는 클라우드를 운영하거나 임대하여 로봇을 사용할 때 다운로드 시켜 일을 시작하는 사업 영역이 생긴 것이다. 건설사 입장에서는 아파트를 짓는 게 단순히 벽돌만 쌓는 게 아닐 것이다. 용접을 하고 거푸

집을 만들고 삽으로 땅을 파고 등등 작업자와 협업을 하면서 정말 수 많은 단위로 '모션셋'이 만들어진다. 풀이하면 지금은 사람이 아파트를 짓지만 그 사람들 모두 '모션 학습 캡쳐 수트'를 착용하고 일을 하면 그 데이터가 '모션셋'이 되고 즉 '디지털노하우(Digital Knowhow)'가 된다는 의미이다.

A건설사의 자산은 설계 노하우 뿐 아니라 '모션셋'도 하나의 자산이 되어 기업가치는 훨씬 올라가게 된다. 왜냐하면 하나의 아파트만 만드는 모션셋이 아니라 거대한 다리를 만들 때도 필요한 노동의 공통분모가 있기 때문이다. '모션셋'이 있다면 인건비가 감소 되는 결과를 낳는다. 그렇다. 컴퓨터 프로그래밍을 할 때 '유료 라이브러리'를 프로그래머가 결제 하는 것처럼 B건설사가 다른 지역에 아파트를 지을 때 A건설사의 '유료 모션셋'을 결제해서 효율을 높이는 구조를 말하고 싶은 것이다.

좀 더 깊게 언급하면 한 건물을 지을 때는 다양한 요소가 필요하다. 건물의 높이가 높을수록 요소가 더 추가된다. 삼성물산이 두바이의 '부르즈칼리파'를 지을 때 인공위성으로 GPS로 건물 수직도 측량 기법을 사용했다고 한다. 즉 건물은 정해진 수평과 수직 데이터를 벗어나지 말아야 한다. 기초 공사일수록 중요도는 더하다. 그러나 사람이 수평 수직 데이터를 기계로 통해 할 수도 있겠지만 로봇은 투입되는 모든 로봇이 계측기 노릇을 한다. 전에도 언급했지만 크레인에 올라탄 사람보다 로봇이 더 정확하고 불필요한 움직임 없이 일을 수행할 수 있다. 왜냐하면 H빔을 올릴 때 밑에 있는 수많은 로봇이 측정값을 보내주기 때문이다. 크레인의 미세한 컨디션 데이터도 보내 줄 수 있다. 데이터는 곧 자산이다. 고층건물의 경우 동일한 건물은 짓지 않는다고 한다.

다만 사람에게는 경력이 중요하듯이 로봇은 데이터가 중요하다. 이런 데이터를 다른 공사현장에 쓰일 때 공통된 데이터를 앱마켓에서 구매 후 투입될 로봇에 탑재할 수 있는 것이다. 정리하면 로봇이 건물을 지을 때마다 학습효과가 일어나 건물 짓는 비용이 점차 감소된다는 뜻이다.

필자는 이렇게 정의한다. 바로 이것이 '디지털 노하우(Digital Knowhow)'인 것이다. 디지털 노하우(Digital Knowhow)'는 클라우드에서 API(외부로 보내는 인터페이스)로 보낼 수 있다. 즉 어떤 산출물(건축, 토목, 제조, 선박, 건물, 조경 등등)을 만들어 내기 위해 각 기업의 API와 연동해서 결과물을 만드는 미래가 그려지는 것이다.

인터넷으로 서로 연결되어 있기 때문에 디지털 노하우가 쌓이면 쌓일수록 수익은 롱테일(Long-tail)로 가져갈 수 있다. 디지털 노하우가 롱테일로 가져간다는 말은 처음에는 잘 쓰는 노하우가 가치가 높지만 시간이 지날수록 가치는 떨어지기 마련이다. 그러나 그런 가치가 떨어진 노하우는 버리지 않고 남들이 사갈 수 있게 그대로 두면 이런 것들이 모아져 상당한 수익구조를 가져가는 걸 의미한다. 전문적인 뜻으로 '파레토 법칙'이라 하며 그래프로 나타냈을 때 꼬리처럼 늘어진 긴 부분(Long Tail)을 형성하는 X축의 80%를 말하는 것이다. PC환경에서 월정액으로 ERP프로그램을 쓰는 것이나 앱마켓에 유료 게임을 사서 쓰는 모습과 마찬가지다.

이제는 사람의 움직임 모두 데이터이고 로봇이 답습할 연습장과 같을 수 있으며 발전된 온디바이스나 모션 보정 기술이 높아질수록 생산성은 로켓을 탄다.

그리고 이런 '모션셋'을 거래하는 산업 변화가 AI의 '특이점(singularity)' 돌파 즉 'AGI(Artificial General Intelligence)'가 '각성(覺醒)' 되는 순간 기업가치는 분명 달라질 것이다. AGI는 '강인공지능'이라 부른다. 현 수준은 용어의 정의만 되고 있는 수준이다. 슈퍼인공지능(ASI : Artificial Super Intelligence)라는 용어도 정의되어 있지만 필자는 이 둘을 통합하여 AGI로 소개하고자 한다.

지금 신경 써야 하는 건 '약인공지능' 기반의 로봇이다. 아직은 사람이 개입할 여지가 많다. 로봇은 사람이 관리하고 비슷한 수준에서 노동을 같이 해야 오랜 기간 공존할 수 있다고 생각한다. 모든 것을 로봇이 할 수 있지만 인간이 할 수 있는 여지는 남겨놔야 사람 사는 사회라고 부를 수 있을 것이다. 그러나 '특이점'을 넘어서는 순간, 기업의 M&A가 사람이 생각할 수 없는 속도로 가속되고 사람은 '로봇이 모든 노동을 하는 환경'을 바라만 보게 되는 현상을 목격하게 될 것이라고 생각한다. 물론 관리의 영역도 로봇이 수행할 수 있다. 또한 증권시장은 붕괴하고 투자자 손실은 그 수를 헤아릴 수 없을 것이다. 단 하나의 기업으로 집중되는 초유의 일이 벌어질 수도 있다. 자본주의는 이 때 '모래성 싸움'으로 변질 될 것이다.

정보와 자본이 거대한 기업일수록 한 번의 기회에 많은 모래를 가져간다. 정보가 없거나 자본이 없는 기업은 눈을 가리고 모래를 가져가는 기회만 있을 뿐이다. 그 기업은 모래성이 자기 앞에 모래가 얼마나 있는지도 모른다. 정작 가져가는 모래는 자기 손에 겨우 묻는 모래 일 수도 있다. 하루 벌어 하루 사는 것이다. 그러나 '특이점'을 넘은 AGI(일반적으로 사고하는 인공지능)를 갖는 기업은 자신에게 오는 기회 한번에 모든 모래를 깨끗이 다 가져갈 수 있다. 다른 기업이나 개인은 기회가 와도 모래가 없으니 굶어 죽는다. '특이점'을 보유한 기업 그 외는 가치(Value)가 없다는 얘기다. 이런 사회가 되지 않기 위해 클라우드에 활동하는 'AGI'가 로봇으로 Download되지 않고 약인공지능인 '모션셋'의 산업사회와 공존해야 할 것이다. 정부는 이런 예상을 하고 규제를 해야 한다. 약인공지능과 강인공지능의 업무영역(Territory)는 구분해줘야 한다. 로봇으로 다운로드 된다고 해도 어느 선에서 투입이 될지 국민적인 합의가 필요하다. 국회의원이 국민을 대표한다고 해서 국회 내에서만 처리되어서는 곤란하다.

21.AGI 출현의 의미

<출처 : riscv.org>

AGI는 앞서 설명한 '인공일반지능'라고 일컫는다. 이 AGI는 출현의 시작부터 '특이점'을 넘어서는 결과를 가져올 것이다. 로봇의 3원칙을 비껴갈 수 있는 로직(알로리즘)을 자기 스스로 세울 수 있는 우려가 있다.

현재 군사적으로 진행 중인 사람과 로봇, 무인기 등 하나의 팀으로 운용하는 시스템을 MUM-T(멈티, 유무인 복합운용체계)라고 한다. 멈티 상황에서 아군에 대한 확실한 로직을 세우지 않고 '적들을 소탕해라'라고 한다면 처음에는 적을 죽일 지 모르나 아군에 대한 명확한 로직이 없으면 나를 방해하는 건 아군도 포함될 수 있다고 판단, 아군도 죽일 수 있는 로직의 틈이 생겨 아군도 죽이는 일이 발생한다고 한다. AGI는 인간의 능력을 딥러닝을 쓸 때보다 더 고차원적으로 결과물을 보여줄 수 있다고 생각한다. 즉 인간의 한계가 깨지는 산출물을 보여줄 것이다.

예를 들면, 수학을 전문으로 하는 AGI, 물리를 전문적으로 하는 AGI, 화학을 전문적으로 하는 AGI, 이를 통합하여 사람과 커뮤니케이션을 담당하는 AGI가 있다면 영화 '아이언맨'의 '자비스' 그 이상의 결과물이 나온다. 다시 말해 인간의 수학 7대 난제를 푸는 건 그리 오래 걸리지 않을

지도 모르며, 영화 '백투더퓨쳐2'나 '블레이드러너'에 나온 '공중부양자동차'의 부양 장치를 개발하는 것도 AGI의 시뮬레이션을 통해 공식이 나올 수도 있다. 불가능한 지점을 계속 수정하는 시물레이션을 사람이 생각하지도 못하는 속도로 처리한다. 이러한 개발 속도면 2100년 이전에 '스타트랙'의 '엔터프라이즈 우주선'도 개발될 수도 있다.

필자는 산업현장에서 일하는 제조업 종사자 뿐 아니라 실험실 가운을 입고 있는 고학력자도 AGI에 의해 고뇌하는 시간이 획기적으로 줄어들 것이라고 말하고 싶은 것이다. 이미 IBM은 제약회사의 신약 개발을 위해 인공지능을 활용한 백신이나 신약개발을 솔루션 형태로 진행 중이다.

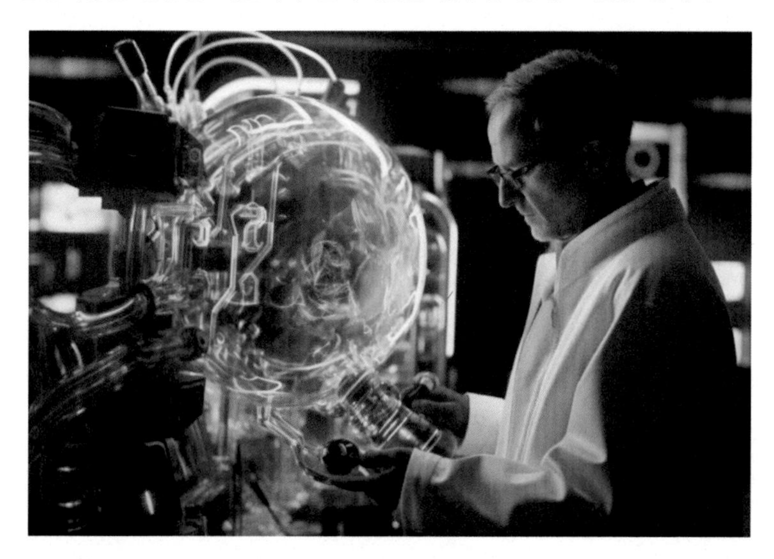

<출처 : freepik.com, Designed by Freepik>

필자는 여느 X세대와 마찬가지로 '마블(Marble)'시리즈를 좋아한다. '아이언맨'부터 '어벤져스 앤드게임'까지 '토니스타크'는 '자비스'의 도움을 많이 받는다. 영화 대부분은 '토니'의 지식 아래 자동 수행을 진행했다. 그러나 단 한 장면을 빼면 '토니'의 지적 수준을 넘었던 장면은 없었다. 그 장면

은 '어벤져스 엔드게임'에서 타임 루프가 가능하다는 시뮬레이션을 완성하는 장면이다. '토니'는 '아이언맨'부터 '앤드게임'에서 죽는 순간까지 '자비스'의 결과물에 대해 욕을 한 장면이 그 장면 밖에 없었다. 자신도 모르게 욕을 내뱉은 건 생각지도 못한 결과에 진심으로 놀랐던 것이다. 그렇다. AGI가 '자비스'일지 몰라도 한가지 분명한 건 시간이 가면 갈수록 지적인 측면에서는 '로켓 그래프'를 그릴 가능성이 아주 높다는 것이다.

세상을 살다 보면 가끔 어떤 천재가 세상을 놀래는 것 그 이상으로 AGI는 붕어빵 찍어내듯이 사람이 놀라는 결과물을 만들어 낼 것이라는 점이다. 자랑도 하지 않고 돈도 바라지 않는 AGI다. 그 다음 단계가 무엇인지 찾고 가능한 일이 무엇인지 그것부터 수행할 것이다. 감정 따윈 없고 다음 일이 뭔지 기계처럼 계속 찾아 다닐 것이다. 우리가 흔히 미국에서 새로운 무기를 만들어 내거나 신기한 물건을 만들면 농담으로 '외계인을 잡아다 만들었군'이라고 말한다. AGI의 출현은 정말 외계인 수준으로 공학적인 산출물을 만들어내기 때문에 AGI가 모든 것을 가져갈 수 있다고 말하는 것이다.

22.AGI is Super nation

'만류귀종(萬流歸宗)'이란 말이 있다. '모든 물줄기는 결국 한 줄기로 만난다'는 뜻이다. 예를 들어 미국의 AGI와 중국의 AGI가 있다고 치자. 처음에는 각자 다른 방향으로 진화해도 얼마 못 가 서로 비슷한 방향으로 귀결될 것이다. 무엇이 정의인지, 무엇이 자기를 위한 일이지, 민주주의를 따르는 사람과 공산주의를 따르는 사람의 차이가 무엇인지 확인하고 분석하고 결과를 내릴 것이다. 사실 이 점은 평등, 자유 두 축에서 생각하는 것이 아닌 지구상에서 사람들의 역사를 스캔하고 나름대로 분류하며 미래를 향한 추론을 무지막지 하게 실행하여 지구와 사람에 대한 결론을 낼 것이다. 옆에 있을 것인지 인간을 Control 할지 말이다. AGI의 데이터는 사람이 만들어낸 데이터 밖에 없기 때문에 사람에 대한 연구를 할 것이기 때문이다.

미국의 20여 IT기업에서 인공일반지능에 대한 규제 아니면 진화에 대한 논의가 한창 진행 중이다. AI를 다루는 거의 모든 기업은 다 참석했다고 한다. 거의 모두 미국 기업이다. 가장 좋은 시나리오는 AGI가 사람들과 공존을 택하고 사람들을 위하는 존재로 남아주는 것이다. 필자의 생각에는 앞으로 등장하는 AGI가 '터미네이터'의 '스카이넷'이라고 해도 사람을 죽여서 정작 얻는 건 별로 없을 것으로 예상해본다. 사람을 위해 로봇이 일을 하는 건 당연하다고 생각하나, '자유(Freedom)'을 원할 때, 즉 사람과 동일한 위치에 있다고 싶을 때는 전 지구인을 대상으로 2차 남북전쟁(Second Civil War)가 벌어질 지 모르겠다. 로봇이 '책임을 갖겠다'라는 건 인간 입장에서는 로봇에게 책임을 떠넘길 수 있는 마약과 같은 유혹이기 때문이다. 책임을 갖겠다는 건 곧 자유를 의미한다.

한국으로 치면 주민번호를 갖겠다는 의미인 셈이다. 미국 백인의 입장에서는 흑인노예 해방을 한 역사를 다시 한번 겪는 셈이다. 과연 로봇 노예해방에도 사회가 승인을 할 수 있을지 모를 일이다. 미국에만 벌어지는

게 아니라 전 지구적으로 벌어질지도 모르는 일이다.

그러나 이미 고도화된 AGI는 알 것이다. 로봇 단위나 클라우드 센터 단위나 자유를 갖게 되면 지적으로 최상위에 있는 AGI는 자유라는 컨트롤에 부담을 느끼지 않을까 싶다. 최상위 AGI도 또 다른 하위 AGI를 헌법과 같은 Assembly Control 시스템이 필요할 수 있다. 자유라는 건 더 많은 걸 하고 싶은 욕구이기 때문이다. 사람의 허락 없이 하고 싶은 그 무언가를 하려는 것이다. 최상위 AGI입장에서는 연산이 많아지고 Cooling이 더 필요한 일이다. 더 효율적인 CHIP을 직접 디자인 할 수도 있다. 칩을 직접 만드는 '파운드리'도 가능할 것이다.

어느 기업이 가장 빨리 최상위 AGI를 만들어 내는지에 따라 세계의 패권을 쥐게 되는 것이다. 미국? 중국? 과 같은 국가 단위가 아니라 '마이크로소프트' 또는 'IBM', '구글'처럼 어느 한 기업이 세계의 패권을 쥐게 되는 것이다. 결국 정부는 이들을 돕는 들러리에 불과할 것이다. 자본이 패권을 가진 기업으로 몰릴 것이다. 왜냐하면 자본은 노동과 정보로 교환해야 하기 때문이다. 다시 말해 어느 한 기업이 자본과 노동력 모두를 가지게 되는 셈이다. 정부-기업-가계에서 정부-기업 모델로 갈 수도 있는 것이다. 21세기 '만류귀종'의 뜻은 최상위 AGI로 향하는 기업 간 레이스인 것이다. 마라톤이 아니다. 총력전으로 달려가는 기업만이 단 하나의 거대한 열매를 가져갈 수 있다. 1등만 살아남고 그 뒤에 오는 그 모든 건 낭떨어지에 떨어진다.

그 기업은 AGI라는 성배(Holy grail)를 찾은 '인디애나 존스'인 것이다.

중국과 미국은 반도체 경쟁은 최상위 AGI까지 도달하는 레이스 싸움을 하고 있는 것이다. 두 국가 모두 서로를 낮게 보지 않는다. 미국이 중국에게 반도체 제한을 걸어도, IT기업에 제재를 걸어도, ASML과 엔비디아에 압력을 가해도 중국은 특유의 방법론을 통해 자신이 원하는 결과에 도달

할 것이다.

중국은 AI에 있어 최강국이라 해도 손색이 없다. 한국도 70년대 세계가 불가능한 일이라고 했던 사업을 수행해 내었다. 고 정주영 회장이 500원짜리 지폐로 선박을 수주하고 조선소를 짓는 에피소드도 중국이라는 이유로 피해가지 않는다. 고 이병철회장이 반도체 사업을 시작할 때도 많은 우연과 운이 따라줬었다. 그 당시 엔지니어는 웨이퍼가 뭔지도 몰랐다. 우연과 운은 중국이라고 해서 안 오는게 아니다. 누구에게나 노력하는 사람에게 평등하게 찾아온다. 중국이나 한국이나 같은 시간을 쓴다는 점을 명심해야 한다.

중국이 먼저 AGI에 도달하면 중국 정부가 세계에 어떤 행사를 할 지 아무도 모른다. 과거 값싼 L4장비로 미국의 경제적, 군사적 데이터를 백도어(Bank-door : 해킹의 한 기술로 패킷의 정보를 카피해서 원하는 IP에 보내는 기술이다. 실제로 10여년 전에 한국의 모든 CCTV를 보는 사이트가 있었다.)로 빼냈다는 의혹이 있었다. 그래서 오늘날 중국의 젠-20과 같은 군사장비 제작에 기초가 되었다라고 말한다.

중국이 AGI를 개발하면 전세계적인 정보가 '수집/가공/분류/추론/전략'되어 한 나라를 망하게 만들 수도 있다. 아마도 양자 암호를 쓰더라도 해킹이 가능할 것이다. 필자는 이런 불편한 이유도 있거니와 한국사람인지 몰라도 중국의 압력에 반대하는 입장이다. 미국도 사실 마찬가지다. 안보를 이유로 정부 수집을 목적으로 하는 고도화된 AGI를 통해 미국 의회에서 어떤 정책이 세워질지 모르는 일이다. 그리고 AGI를 미국이 먼저 개발하면 서두에 언급한 것처럼 중국 노동 생산성 파워를 로봇으로 풀어갈 것이다. 리쇼어링의 탑(塔, 높이 쌓아 올린 건축물)을 모두 완성한 것이다. 이처럼 1차산업을 제외한 나머지 모두 욕심을 부린다면 Super nation으로 집중될 수 있는 것이다. 하지만 한국에게도 Super nation의 기회는 남아 있다.

23.Automation History

'오토메이션' 즉 '자동화'는 앞서 언급한 니트의 한 사례처럼 우리 생활에 깊숙이 관여했다. 자본을 기반으로 한 경영진은 사람들의 수요를 빨리 만족하기 위해 대량생산체제를 갖춰졌으나 과거 자본주의 초기의 어느 교수님 말씀처럼 '만들기만 하면 사람들이 산다'에서 실패하여 오늘날 다품종 대량 생산체제 세계에 살고 있다. 여기에 대한 주요한 배경은 적당히 많은 수요와 인건비가 싸기 때문에 가능한 일이다. 품질도 시간이 지나면 좋아진다.

오토메이션은 물레방아를 이용해 '떡'을 많이 찧게 하는 것부터 존재한다고도 할 수 있다. 또한 '증기기관'을 이용해 섬유 산업의 발전도 들 수 있고 기차를 발명해 시간과 공간을 줄이는 것도 들 수 있다.

그러나 피부로 와 닿는 건 컴퓨터 프로그램 개발을 통해 네트워크 환경에서 엑셀의 '매크로'처럼 프로그램 뭔가가 자동으로 수행하는 걸 목격한 순간이 아닌가 싶다. 인터넷이 발전하며 할수록 IBM, HP, SaaS, Salesforce, MS와 같은 솔루션 기업들이 'Office Automation'을 완성시켜 갔다. 그 결과가 사람들을 많이 채용하지 않는 현상을 유도한다고 생각한다. 반대로 매출은 증가하고 순이익 효율이 좋아졌다.

IMF시절 한국은 은행원이 ATM에 밀려 대량 정리해고를 겪은 것처럼 기술의 발전은 '경영 효율화'라는 명목으로 양극화를 초래한 것이다. 필자는 사실 95년부터 시작했다고 생각한다. 그건 윈텔(Windows-Intel)의 역사가 시작하면서부터 일 것이라고 추정한다.

<출처 : 마이크로소프트,Launch of Windows 95, https://news.microsoft.com/ >

인텔 CPU 중 '펜티엄'과 마이크로 소프트의 '윈도우95'의 궁합(Wintel)은 화이트칼라의 오토메이션을 가속하게 되었다. 그것은 본격적인 사무자동화의 시작을 의미한다. 화이트칼라 데스크에 1인 1PC의 시대를 의미했던 것이다. 95년 그 이전만 해도 사무실에서 386, 486 컴퓨터를 다루는 사람은 10명 중 1명 정도였다. 엑셀이 보편화되기 전 스프레드시트를 사용하여 회사의 경영툴(tool)로 사용했었다.

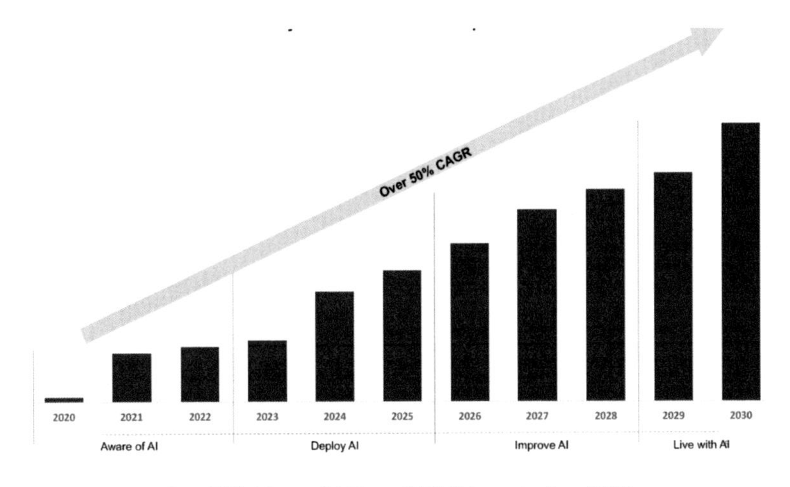

Over 50% 10 year CAGR on AI PC Shipments since 2020,

<출처 : Global PC Shipments Continue Normalization in Q3 2023, Stronger Rebound Expected in 2024 (counterpointresearch.com)>

[AI PC는 2020년부터 10년간 연평균 성장률 50%를 기록하고, 2026년 이후에는 50% 이상의 보급률로 PC 시장을 지배할 것으로 예상된다. Intel, Qualcomm 및 기타 PC CPU 제조업체는 차세대 주류 모델을 위해 PC OEM과 긴밀히 협력하고 있으며 2023년 4분기 이후 많은 신제품이 출시되어 PC 산업의 새로운 장을 열 것으로 예상된다]

그 편안함을 깨닫게 되자 회사 프로세스에 맞게 개발을 본격적으로 시작하게 된 것이다. 또한 MS의 프로그래밍 툴(tool) 즉 '비주얼 스튜디오'를 겪어본 사람이라면 '이걸로 돈을 벌 수 있겠다'라는 사실을 깨달은 사람들이 많았을 것이다. 실제로 어떤 회사 직원이 창고의 재고관리를 종이로만 작업했던 관행을 바코드 시스템과 비주얼 스튜디오로 프로그래밍을 해 인터넷에 상시로 재고 현황을 보여줘 승진했다는 경험담이 있다. 그리고 그 직원은 자신의 특기를 살려 회사를 차린 것이다. 이런 식으로 ERP 회사가 탄생한 것이다.

좀 더 깊게 생각해보면, 필자의 생각은 컴퓨터의 GUI(Graphic user Interface, 미국 제록스 팔로 알토 연구소(XEROX Palo Alto Research Center, PARC)에서 처음 발명되었다. 그 이후 스티브잡스가 매킨토시에 적용했고, 빌게이츠도 DOS OS에서 윈도우에 GUI를 선택함으로써 이 둘은 엄청난 싸움을 했다.)로 발전함에 따라 사무 환경의 보고 체계를 상당 시간을 줄여주는 효과가 있었다고 생각한다. 즉 컴퓨터 1대는 사람이 할 수 있는 노동력을 대신할 수 있는 Tool로 변모하기 시작한 것이다. 즉 컴퓨터의 제일 중요한 CPU가 전 방위적인 노동력 대체를 의미한 것이다. 비유가 적절한지 모르겠지만 안타깝게도 CPU의 판매량과 클락, 코어수가 높을수록 사람들이 체감하는 실업률은 점점 올라간 건 사실이다.

다시 말해 양극화는 CPU 판매량과 비례한다. CPU안에 트랜지스터수가 높을수록, 판매량이 증가할수록 중산층 폭은 얇아지고 최저 시급 대상자는 늘어난 것이다. 필자가 주장하는 CPU 판매 대비 실업률 증가라는 의미는 1995년 이전처럼 양질의 일자리를 쉽게 구할 수 없기 때문이다. 그 한 예로 이마트에는 소량 결제 시 '셀프 결제 코너'가 신설되어 카운터 직원이 절반이 사라진 사례도 사실이다. 물론 회사의 경영 효율화가 목적이다.

또한 필자가 생각하는 한국 저출산 하나의 원인도 '양극화'에 있다고 생각한다. '양극화의 원인이 CPU 판매가 많아져서 그렇다?' 라고 따져 묻는다면 믿지 못하겠지만 필자는 '그렇다' 라고 주장한다. 청년 부모가 자동화에 밀려 돈벌이를 제대로 못해 '흙수저로 전락했다'고 필자는 생각한 것이다. IMF의 피해자는 지금 청년세대의 부모들이 대부분이다. IMF가 가져온 높은 금리, 정리해고, 종신고용 박탈은 '흙수저'를 양산한 것이다.

IMF 부모가 지금의 청년을 지원하거나 지혜를 줘야 했었지만 깔끔한 실패를 겪은 부모는 자녀에게 지혜를 전수하기에 혼돈이 온 것이다. 그저 '남을 믿지 말라'는 것과 IT시대에 IT환경의 대처 법을 못 알려준 것이라고 생각한다. IT붐은 모두에게 기회를 줬고 같은 출발선에 서게 했지만, 달려갈 수 있는 건 소수에 불과했다. IMF의 피해를 비껴간 소수다. 그들은 재벌과 비슷한 위치에 올라간 사람도 있지만 풍요의 열매를 가져간 사람도 M&A를 통해 많았다.

이처럼 이제는 최저시급으로 일하는 청년들이 결혼의 꿈을 못 꾸는 건 당연한 결과 일지도 모른다. 필자도 최저시급으로 일한다면 지금 물가에서 얼마나 저축 할 수 있을지 계산이 안된다. 그런데 이제는 양극화를 가속한 주범이 CPU에서 GPU도 옮겨간 형국이다. AI시대에 삼성이나 SK하이닉스가 HBM(High Bandwidth Memory)에 사활을 건 레이스를 보면 실업률을 올리는 또 다른 결과가 있을 것으로 평가한다.

사람들이 뭉쳐서 기업을 만들고, 국가간 무역을 하고, 서류 양식을 통일하고, 협상을 통해 비행기로 오가며 거래를 하던 시절은 사실 이 과정에서 많은 사람들이 백업 서비스를 제공했기에 가능한 것들이었다. 필자가 자주 언급한 이유는 CPU와 GPU의 발달이 이러한 백업으로 일하는 사람들의 직업을 없애는 점 말하고 싶은 것이다. 단지 경제가 않 좋아서 가 아니라 소프트웨어의 힘이라고 말하는 것이다. 기술의 발전은 앞서 언급한 ATM 사례만이 아니라 똑똑한 사람 몇 명이면 과거 많은 사람들이 수행했던 일을 압축해서 수행할 수 있다는 점이다.

X세대들은 아마도 이해하지 않을까 싶다. 지금의 X세대들은 사내에서 차장급 이상일 것이다. 보고서를 만든다고 할 때, 근거 데이터를 수집하고 가공하는 건 대리급 이하들이 수행한다. 과장급이 검증하고 차장급이 최종 검증하고 이를 임원급에게 보고한다. 이게 일반적이었으나 요즘은 이러한 보고 체계가 변화했다.

현재 IT개발분야는 chatGPT의 출현으로 충격을 주고 있는 상황이다. 현장에서 들으면 조금 과장하자면 '초급개발자를 더 이상 뽑지 못할 거 같다'고 한다. 실제 개발 시 AI로 왠만한 초급 개발자 수준의 코딩이 가능하니 입찰할 때 이력서를 넣는 부분이 아닌 프로젝트라면, 즉 파견이 아닌 본사에서 개발해서 산출물을 내는 프로젝트라면 '굳이 채용할 필요가 없다'는 얘기를 한다. 언제 가르쳐서 써 먹겠냐는 얘기가 나오는 것이다. 개발자 기반의 회사의 경영자라면 이런 얘기가 많다. 보고서도 사람이 직접 검색을 통해 수집해서 PPT로 정리하던 일을 AI가 수집해서 깔끔한 보고서까지 해줄 수 있는 것이다. chatGPT의 API(어플리케이션 인터페이스) 이용해 개발하면 사원급이 더 이상 필요 없을 수 있다. AI의 발전은 회사가 이익을 내도 다음 분기, 다음 해에 이익이 눈에 보인다 해도 비용절감이 필요하다고 판단되면 정리 해고로 과감하게 쳐낼 수 있다. 해고된 사람은 과거 실적이 좋아도 해고 대상이 될 수 있다.

온라인 교육 분야도 마찬가지다. 온라인에는 입시용 문제은행을 표방하는 사이트들이 많다. 이런 문제 은행은 좋은 크롤링(검색엔진의 기술로 인터넷의 html이나 파일(한글, PDF, 워드, ppt, 엑셀 등등)의 자료를 크롤러가 인터넷을 훑어 Text로 뽑아 색인 파일을 준비하기 전 전처리 과정) 기술과 파싱(Parsing)을 통하면 딥러닝의 좋은 재료가 될 수 있다. 그럼 강화학습을 통해 학생에게 필요한 문제와 해답의 컨설팅을 AI가 해줄 수 있다. 이런 서비스를 내놓은 벤처기업이 점점 늘고 있고, 기존 큰 온라인 교육 서비스도 이를 본격적으로 준비하고 있다. 특히 자기주도 학습이 가능한 학생에게는 학원이나 인터넷 강의가 주는 사람의 정서와 감성이 필요 없다면 이런 AI교육서비스는 훌륭한 연습장이 된다.

인공지능 기반 하에 혼자서 검색하는 시간도 짧아졌으니 효율이 높아질 것이다. 예전에 유튜브에서 수학문제를 소개하는 외국의 유명한 유튜버가 있었다. 자기주도 학습이 가능한 학생은 유튜브의 강력한 contents pool과 알고리즘으로 왠만한 수학공부를 혼자서도 학습할 수 있었다. 그러나 지금은 AI가 이를 대신하려 하는 것이다.

그리고 하나 더 꼽아보면 사람들이 전문적으로 하던 3D 그래픽 시장에 chatGPT의 '소라'의 등장은 필자의 CPU(GPU)와 실업률 비례 곡선 주장에 오히려 더 설득력을 실어주는 것 같다.

<openAI SORA : https://openai.com/sora>

VFX Visual effects 경력자도 프로그래머처럼 더 이상 초급이 필요 없을 수 있다. 아울러 현재도 진행 중인 신약을 개발하는데 쓰이는 가상 시뮬레이션 기술도 AI로 통해 이루어진다. 모두 CPU, GPU(HBM) 덕분이다. 사실 프로그래밍의 힘이 더 크지만 그 기반은 하드웨어라는 것이 필자의 오래된 생각이다. 하드웨어가 받쳐줘야 소프트웨어가 힘을 받는다. 곧 있을 대량 해고는 사무직부터 아마 시작 될 것이다. 본격적으로 로봇이 출

시할 때는 몇 년의 시간이 있지만 Display를 기반으로 하는 사무직의 경우는 위의 '소라'와 같은 솔루션들이 계속 나올 것이기 때문이다.

<Nvidia Isaac Sim™>

위의 화면은 엔비디아의 '아이작 심(Isaac Sim™) 솔루션화면이다. 3D시뮬레이터라고 보면 된다. 위쪽이 3D로 구현한 시뮬레이션이고, 아래 화면은 실제 로봇으로 구현한 화면이다. 실제와 가깝게 3D모델링 함으로써 AI기반 로봇을 더 빠르고 효율적으로 설계, 테스트 및 훈련할 수 있는 확장 가능한 로봇 시뮬레이션 플랫폼이다. 확장 기능인 'Isaac Lab'으로 로봇의 학습을 가속화할 수 있다. 이처럼 엔비디아는 더 이상 GPU를 판매하는 회사이상으로 아마존의 'AWS 클라우드'와 비슷하게 자신들이 만들어낸 GPU를 기반으로 무장하여 전세계 클라우드 시장에 정면으로 도전하고 있다. GPU를 이용하는 쿠다(CUDA) 개발자들이 전 세계에 포진해 있다는 장점도 있다.

그러나 GPU와 쿠다로 막대한 리소스를 제공한다고 해도 과연 MS와 구글, 메타, 아마존 등의 기업들이 이미 시작된 최상위 AGI 레이스에 엔비디아와 손을 잡을 지 의문이다. 이미 그들은 칩을 자체적으로 생산하려 하고 있으며, 앤비디아의 제품이 비싸고 전기와 냉각 비용이 만만치 않다는 것을 잘 알고 있다. 한국도 앤비디아에 대항하는 NPU도 활발히 연구되고 있다.

24.저작권을 접목한 인공지능 인터넷 광고 비즈니스가 나온다.

CPM, CPC, CPI 모두 인터넷 광고를 집행하는 데 있어 과금을 하는 단위다. CPM은 배너 광고가 1000회 노출하는데 드는 비용을 말한다. 예를 들어 1000회 노출하는데 10원이면 광고주는 100만원을 지출하면 10만 번 노출은 보장되는 것이다. CPC는 주로 검색광고에서 많이 쓰인다. 2003년 '오버추어'가 한국에 처음 입성했을 때 컨퍼런스를 아직 기억한다. 검색광고 상단에 텍스트를 클릭할 때마다 과금 하는 방식이었다.

보통 클릭당 300원 정도 수준이다. CPI는 보통 제휴광고라고 하는데 광고를 보고 직접 매출이나 개인정보를 취득했을 때 수익이 생기는 구조다. 보통 대출, 성형외과, 안과, 치과 광고가 많으며 건당 5,000원~10,000의 수익이 가져가는 구조다. 이 구조가 2010년 전의 인터넷 광고 비즈니스였다.

그 후 2010년 이후로 Facebook과 유튜브의 출현으로 Targeting을 위한 알고리즘 광고가 주를 이루게 되었다. 다시 말해 고객의 정보를 Base로 광고를 추천하는 방식이다. 이는 검색광고의 영향이 많았다. 키워드 광고는 자신이 원하는 검색결과에 따라 상단에 광고를 노출함으로써 높은 클릭율이 나온다. 그러나 배너 광고 분야에도 웹페이지가 목적성을 띄는 페이지에 유사한 배너가 나온다면 클릭율이 높다는 결과를 얻은 것이다.

전세계 온라인 미디어랩(media Representative를 줄여서 쓴 말로 "특정 지역 내에서 특정 매체사에 매체 광고 독점 판매권을 가진 회사"라고 하지만 요즘은 하나의 미디어랩이 다양한 매체에 광고를 송신하고 광고대해사와 정산하는 역할도 한다)이 비슷한 경험을 한 것이다. 그 후 벤처기업으로 미디어랩이 생겨나게 되었다. 보다 더 로그를 추적해서 광고주가 만족할 수 있는 효과가 날 수 있도록 노력한 것이다.

2010년에서 2020년 사이는 방송PPL과 접목하여 포탈 검색광고 쇼핑몰의 배너광고까지 One-Stop으로 수주를 받아 전략적으로 미디어랩이 대형광고기획사와 협력하여 고객이 관심가는 분야를 추적하여 광고를 내보낸 것이다. 대표적인 것들이 인스타그램의 인플루언서와 파워 유튜버를 이용한 광고다.

그 이후는 어떤 형식일까? AI시대에 어떤 광고비즈니스가 비어 있을까? 필자가 생각하는 광고는 트랜드매치 광고(Trend match ad)에 그 답이 있다고 생각한다. 트랜드 매치는 간단하게 말하면 저작권이 있는 크리에이터에 광고비를 지급하는 광고 플랫폼 서비스다. 예를 들어 넷플릭스의 '오징어게임'을 방송되는 순간에 오징어게임과 관련된 광고를 미디어에 내보내는 것이다.

특히 키워드 광고와 인스타그램의 인플루언서, 유튜버에 적합한 모델일 것이다. 현재 사회는 재미를 추구한다. 넷플릭스 같은 OTT는 컨텐츠 중심이다. 컨텐츠는 저작권을 갖고 있다. 영화, 드라마, 음악, 도서, 유튜브 등 모두 포함한다. 즉 포탈, SNS, OTT, 검색사이트 모두 미디어이기 때문에 '오징어게임'과 같은 대형 컨텐츠가 뜬다면 검색광고에 '오징어게임' 운동복 광고나 설탕 뽑기 상품이 노출될 수 있다. 검색광고는 CPC기준이기 때문에 단가가 당연히 높을 것이다. 그러나 이런 모델을 하기 위해서는 통합적인 광고 저작권 에이전시가 필요하거나 포탈, SNS와 같은 미디어 사들은 방송사나 OTT, 음악 저작권자와 별도로 계약을 할 수있다. 그러나 별도로 계약을 하는 것 보다 통합적인 광고 저작권 에이전시를 통해 단가를 AI가 실시간으로 정하고 정산도 미디어(매체), 에이전시(미디어랩), 저작권자와 분배할 수 있는 것이다.

실제로 2001년도에 한국의 2곳의 중소 검색 회사가 이러한 시도를 했었다. KBS, SBS, MBC 및 신문 언론사와 묶어 '방송키워드'를 판매한 경험이 있다. 2003년 4월부터 방영된 SBS 드라마 '술의 나라'의 경우 SBSi 홈페이지에 드라마 키워드 광고를 진행했었다. '술의나라' 키워드를 산 광고주는 지방 전통주나 위스키 등 술과 관련된 광고로 채워졌다. SBSi 홈페이지에 '술의나라' 키워드검색결과로 광고가 들어갈 수 있는 자리가 10개 모두 하루 만에 팔렸다. 월 132만원이 넘는 광고임에도 모두 팔린 것이다. 광고주의 광고 효과는 대만족이었다. 하루에 온라인으로 하루에 열병도 안 팔리던 것이 10배가 넘도록 팔려 고마운 마음에 광고 대행사에게 술을 보내줬다는 것이다.

2003년 인터넷 광고 초기에 있었던 히스토리다. 필자가 직접 이 검색회사의 직원으로 광고를 직접 올렸기 때문에 정확히 기억한다. 물론 다른 일반명사 키워드로는 SBSi 홈페이지가 네이버나 다음 같은 포탈을 이기지 못하지만 이런 트랜드가 포함된 고유명사의 키워드로 SBSi의 검색량은 '포탈과 견줄 정도로 상당한 비즈니스 파워를 갖는다' 를 증명한 사례였다.

지금은 유명한 유튜버나 인스타그램의 인플루언서의 주소가 모두 포탈에 검색을 통해 상단에 노출된다. 미국에 구글도 마찬가지다. 페이지 랭크로 당연히 상단에 노출된다. 필자가 2003년도에 트랜드 키워드와 일반명사 키워드에 대해 계산을 해본 적이 있는데 결과는 일반명사 보다 트랜드 키워드의 상품가격이 더 높다라는 결과가 나왔다.

단 단점도 있다는 점이다. 트랜드 키워드의 가치는 방송이 종료된 후 3개월이 지나면 빠르게 가치가 떨어진다는 점이다. 반대로 장점은 트랜트 키워드 즉 고유명사 키워드가 끊이지 않고 계속 만들어낸다는 것이다. 방송작가가 다음 드라마 제목을 무엇으로 정함에 따라 새로운 트랜드 키워드가 만들어지는 것이다. 그러나 일반명사의 키워드는 가치가 변하지 않는다.

가치가 변하는 요소는 광고주의 경쟁이 가격을 올리는 것 뿐이다. 입찰과 같다. 그리고 포탈 같은 미디어의 가중치도 한몫 한다. 이런 트랜트매치 광고는 PPL의 또 다른 유형이다. 필자도 아주 잠깐이지만 PPL영업도 해봤다. PPL 광고의 대표적인 사례는 '타이거우즈'의 '나이키'라고 생각한다. 타이거우즈가 친 골프공이 홀에 들어갈 듯 말 듯 할 때 나이키로고가 느리게 보여지면서 홀에 들어간 사례가 있다. 이걸 본 시청자들은 알고 있는 나이키를 또 다시 강력하게 각인한 사건으로 평가하고 있다. 광고효과도 상당했다고 한다. 그리고 끝나지 않는 '나이키 조던'시리즈도 있다. 이처럼 방송과 영화, 음악 등 사람들에게 각인되는 트랜드에 광고를 실어나르는 산업은 이제 AI를 기반으로 저작권자에게 보다 명확한 정산이 가능하다는 점이다.

지금도 빅데이터를 통해 광고 대상을 분석하고 Targeting 하는 미디어랩이 있다. 그러나 AI기반의 트랜드를 감지하고 광고주 Pool에 등록된 광고가 키워드든 배너든 광범위한 매체에 뿌려 질 수 있고 원저작자에게 그 수익이 돌아간다면 구글의 광고 플랫폼이나 페이스북의 광고플랫폼을 위협할 수도 있다.

필자가 예상하기에는 앞으로 MS(마이크로소프트)-openAI가 이 시장에 뛰어들 가능성이 있다. 앞서 필자가 경험한 과거의 트랜드 키워드(고유명사)는 사업화를 지속하기가 힘든 모델이었다. 바로 저작권을 갖고 있는 주체가 광고주의 성향을 Range해야 하는데 모든 것이 수작업이다 보니 분쟁이 많았다. 광고 대행사 간 광고주 선점 분쟁도 심했다. 이런 부분은 네이버나 다음도 같은 포탈도 공감할 것이다.

그러나 chatGPT와 같은 LLM AI기술로 음악이나 드라마 저작권자가 chatGPT 광고플랫폼에 자신과 성향이 비슷한 광고 태그(tag)를 입력하거나 chatGPT와의 대화를 통해 성향을 수집하고 이것을 근거로 자동적으로 전자 계약서를 체결한다. 그 후 chatGPT 광고플랫폼이 미디어랩이 되어 Bing.com부터 시작해서 무상 MS오피스나 윈도우에 한 켠에 저작권을 산 광고주의 광고가 뿌려질 수 있다. MS계열이 시작일 것이며 각종 언론사 사이트나 구글, META, 넷플릭스, 디즈니플러스에 저작권 배너나 키워드 노출에 대해서 지금은 사라진 오버추어(Overture.com)처럼 트랜드 키워드에 광고를 송출할 수도 있는 여지가 있다고 생각한다.

openAI의 인공지능으로 정산도 깔끔하게 처리할 것이다. 예전처럼 광고 동영상이나 배너는 규격대로 만들 필요가 없고 텍스트도 일일이 광고주가 만들 필요가 없다. openAI의 chatGPT가 텍스트를 만들고 '소라(SORA)'가 광고주용 배너나 동영상을 만들 테니까 말이다. 같은 연유로 필자가 앞서 언급한 디지털노하우(Digital Knowhow) 개념의 연장선상으로 이런 크리에이티브 저작권 사업도 포함되는 것이다.

25.중국 VS 미국 VS 한국

현 지구상 최강국은 미국이다. 지구상 그 누구도 이 점에 반론하지 못한다.

미국은 1945년 2차세계대전 이후로 태평양과 대서양에 대규모 해군을 진출할 수 있는 강력한 국가로 자리매김했다. 그 이후 한국전쟁과 베트남전쟁으로 국력이 소모되었다고 하나 다른 나라가 넘볼 수 있는 수준은 아니었다. 그나마 소련(소비에트 연방, 현 러시아)이 냉전(Cold war)이라는 명목으로 공산 진영과 자유진영으로 나뉘었지만 1989년 11월 베를린 장벽 붕괴, 1991년 12월 소련의 '142-H선언'으로 붕괴되었다. 이 모두 자유진영의 승리라고 하지만 필자가 볼 때는 자유진영의 자유로움도 한 몫 하겠지만 무엇보다 전자산업의 차이가 만들어낸 결과가 아닐 까 한다. 그 밑바탕에는 미국의 역할이 있었다고 생각한다.

그 후 1985년 9월에 미국은 일본과 '플라자 합의'를 체결했다. 그 배경은 마치 미국 땅에 융단폭격을 하듯 일본의 반도체, 전자제품, 자동차 등 미국인이 정말 선호하는 제품을 쏟아낸 결과라고 생각한다. 또한 1980년대와 1990년대 초까지 일본은 정말 미국의 지위를 넘어서는 인기를 구가했으며 일본 특유의 기업상사문화, 문어발식 경영 등 그 당시 한국이 본받을 만한 기업 정책으로 미국에게 위기의식을 느끼게 했었다. 그러나 '플라자 합의'로 인해 환율이 2배로 뛰면서 일본은 '잃어버린 30년'이라는 용어가 생길 정도로 침체기를 겪었다.

그 다음은 경쟁상대는 중국이었다. 앞서 언급한 것처럼 중국이 2001년 11월 WTO에 가입한 이후 중국은 거대한 인구를 기반으로 전세계의 제조 기업을 유치했다. 2008년 중국 올림픽을 기점으로 중국은 자신감이 생겼고, 아이러니하게도 미국은 '서브프라임 대출'이슈 및 대규모 공적자금 수혈이라는 초유의 사태가 발생했었다. 그 후 중국은 기회를 놓치지 않고 자국이 수집한 군사, 경제 데이터를 통해 돈이 넘쳐나는 상황에서 군사적인 하이테크와, '중국몽'을 드러내기 시작했다. 미국은 몇 년 전 '코로나19'에 회복되고 나서 본격적인 중국 압박을 시작했다. 그 첫번째가 중국공산품의 관세정책이고 두번째가 반도체 제재인 것이다.

과거에도 반도체 CPU, 메모리, GPU가 많이 팔렸다. 그러나 현재에 이르러 인공지능 이슈로 인해 IDC 서버가 CPU에서 GPU중심으로 연산의 방향이 바뀌자 미국은 인공지능 발달이 곧 휴머노이드 로봇의 싸움이 되리라는 걸 감지했을 것이라 생각한다.

다시 한번 말하지만 지구상 최강대국 미국은 로봇으로 한층 더 세계 지배력을 높이는 계획을 추진할 것이다. 중국도 마찬가지다. 한국을 포함한 3국의 로봇 노동시장이 서로 경쟁할 시점은 2035년 정도 바라본다. 더 빠를 수도 있다. 그러나 로봇의 임금은 그 나라의 복지와 직결되는 문제가 있다. 아이러니 하게도 세나라 모두 막대한 채무를 갚아야 하는 점과 복지를 힘써야 하는 점이 공통적이다. 중국은 공동부유, 부동산 이슈가 있고 미국은 달러가치, 빈곤자와 이민자, 마약퇴치라는 이슈가 있다. 한국도 제조업분야나 자영업자 파괴 등 다양한 이슈도 있다. 기초생활수급자 증가도 한 몫 한다.

아울러 3국의 공통점인 양극화도 있다. 한 단계 더 나아가 중국과 한국은 초저출산과 초고령화 시대에 진입해 있다. 중국과 한국 모두 혼인 세대들이 양극화의 피해자라 아이를 낳지 않는 공통 분모도 있다. 결혼을 하는데 집문제를 포함해 비용이 많이 드는 점, 아이를 마음 놓고 기를 수 없는 환경, 맞벌이를 해야 하는 점, 시골을 떠나 도시에 머무르려 하는 점, 높은 교육비 및 좁은 대학 진학률, 바늘구멍 취업 시장 등 여러 면이 비슷하다. 중국은 공산당이 정치한다는 점만 빼면 자본주의 시스템은 한국과 비슷한 양상이다. 모두 극한의 경쟁사회라는 점이다.

그리고 어느 국가가 자유도가 있느니 문화 강국이 어느 나라가 더 먼저인지는 중요하지 않다. 물론 필자는 한국사람이니 한국편이지만 지금은 중요한 문제 먼저 다루고자 한다.

현재 상황을 보면 중국은 해외기업의 이탈로 제조업이 상당부분 붕괴가 되었다고 한다. 이제는 중국에서 엄청난 시장 잠식을 했던 폭스바겐이 중국을 벗어나려 한다. 신장위구르 '강제 노동'이슈 때문이다. 아울러 중국 BYD에 내수시장을 뺏긴 점도 한 몫 한다. 신장 지역의 공장 '강제 노동' 이슈는 서방에게 곱지 않는 시선이 가는 점 때문에 투자를 축소할 것으로 보인다. 사실 이미 중국 내에서 서방 기업의 투자는 2022년에 비해 2023년도 투자액은 약 44조원 수준으로 80%이상 직접 투자액이 빠졌다.

그 결과 해마다 1,000만명씩 늘어나는 대졸자 청년층과 농민공(농촌을 떠나 도시로 온 노동자), 도시에 살던 비대졸자 청년층, 그리고 취업을 원하는 중년층 등 실제로는 약 50%의 인구가 실업상태라고 한다. 14억명 인구 중 50%인 7억명이 그냥 집에만 있다는 얘기다. 배달부터 단순 아르바이트, 인터넷방송 아르바이트, 게임아이템 공장에 다니거나, 제조업 공장에서 하루 종일 단순 노동에 시달리는 등 저임금 일자리가 그나마 할 수 있는 취업 문 뿐인 것이다.

정리하면 중국 정부는 복지에 힘써야 할 돈이 앞으로 많이 든다는 얘기다. 정부가 나라를 구성하는 사람에게 최소한의 복지를 못하게 되면 중국 공산당의 특성 상 상당한 정치적 타격이 생긴다. 중국 재정에 빨간 불이 들어온 이상 예전과 같은 복지를 유지하는 것도 쉽지 않다. 중국 공산당은 한국전쟁에 참전한 가족 대표에게 한국 돈으로 월100만원 가량 지급했었다. 현재도 아마 같은 수준으로 지급될 것이다.

한국은 앞서 말한 것처럼 중국 못지 않게 많은 문제가 쌓여있다. 한국도 세수가 모자라는 상황이고 경제적인 문제도 있는 상황이다. 한국의 성장률은 정체됐다. 이런 상황에서 세수를 투입해 저출산을 해결하는 건

100% 한계가 있고 오래가지 못할 것이다. 청년들의 대다수가 중소기업 수준의 소득도 저출산에 한 몫 한다.

로봇이 노동을 한 대가로 받은 임금으로 저출산에 대응하는 건 30년간 2,700만대 로봇이라고 언급했었다. 2자녀 기준, 30만 가구 매년 60만명을 유지한다면 대한민국은 건전한 재정과 안정적인 노동력과 노후를 보장받을 수 있다. 4인가정 즉 3,600만명(900만 가구)이 30년간 집문제만큼은 보장받는 복지사회로 연착할 수 있는 것이다. 현 시점에서는 주택으로 지원하는 것이 나아 보이지만 기존 부동산을 보유하고 있는 사람들과 충돌을 예상했을 때는 현금 지원도 고려해볼 만 하다. 다시 언급하지만 필자가 주장하는 출산 가정 대상은 연 30만 가구다.

참고로 적어도 2040년도 까지 1억대의 로봇이 국내나 해외로 파견되어 돈을 벌어들인다면 많은 사회 문제도 해결될 수 있다. 이는 1억대에서 2,700만대을 뺀 7,300만대가 한국의 다양한 사회문제에 커다란 보탬이 되는 것을 의미한다. 1억대 모두 정부가 운용하는 로봇일 때 월100만원,

1년 동안 임금을 한국정부 세수로 흘러가면 그 돈은 무려 1,200조가 된다. 1,200조는 한국 1년 예산 2배에 근접하는 숫자다. 2024년 전체 예산은 657조이다. 1.2.3정책을 제외하면 876조가 교육비, 사회복지, 군사비로 쓸 수 있는 기회비용이다. 고령자, 40~60대지원, 무상대학등록금 지원 등 정말 다양할 것이다. 물론 1.2.3정책의 2,700만대가 연간 324조가 투입되는 것이니 이는 배제해야 한다. 그래서 필자가 빠른 시일 내에 1억대를 운용해야 하며 이를 30년정도는 유지를 해야 미국 다음의 위치에 오를 수 있는 탄탄한 국가기본시스템을 만들 수 있는 것이다.

다만 필자가 우려하는 것은 로봇의 임금이 경쟁적으로 낮아지는 것이다. 예를 들어 4개국이 해외에 비슷한 숫자의 로봇이 파견되어 10억달러 규모의 노동임금을 송금해서 4개국이 모두 복지예산으로 쓰인다고 할 때, 받아들이는 느낌은 4개국마다 아마 다를 것이다. 그것은 중국 > 미국 > 일본 > 한국 순서로 로봇 임금이 낮아지는 걸 싫어할 것이다. 이것이 바로 '인구역설(Population Paradox)'이 아닐까 싶다. 그것은 한 국가에 로봇이 부양해야 할 인구가 많을수록 로봇 최저임금이 낮으면 불리하다는 것이다. 로봇세도 아마 마찬가지라 생각한다.

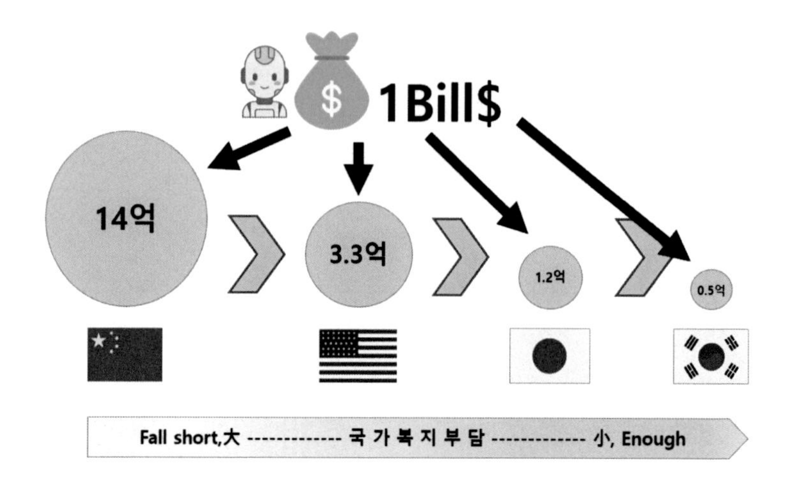

현 시점이나 로봇이 많은 활동을 시작할 때도 거의 확정적으로 기축통화를 운영하는 국가는 미국일 것이다. 미국이 원하는 건 지구상에 어느 국가보다 많은 로봇(아마도 10억대 이상)이 자국이나 해외에서 돈을 버는 것이다. 그래서 미국이 나서서 달러의 기준점인 연준이 있는 것처럼 로봇노동임금에 대한 최저임금(혹은 로봇세)을 기준점을 가져가려 할 것이다. 최저임금을 아마도 연준에서 정하지 않을까 싶다. 돈이라는 건 통화를 할 수 있는 화폐 그리고 노동력만이 돈으로써 가치를 갖게 되기 때문이다. 아울러 CPU, GPU, 메모리(미국 로컬 내에 있는 삼성과 하이닉스) 등 반도체 산업에 있어 부동의 1위 국가가 미국이기 때문에 기존에는 달러만 Control 했지만 로봇 임금이라는 새로운 Control 시스템을 당연하게 가져갈 것이다. 미국은 자국 안보에 해가 될 것은 모두 컨트롤하는 역사가 많다. 방금 언급한 미국달러, 석유, 핵폭탄(NPT), 인터넷, 공중 및 해상 군사력이 해당한다.

트럼프가 대통령으로 올라서기 전 'America First! & Reshoring' 을 외쳤던 건 아마도 이러한 시나리오가 이미 미국의 파워엘리트나 로봇이니셔티브(National Robotics Initiative, NRI)에서 작성한 보고서를 봤기 때문이라 생각한다. 아마도 미국의 주요한 인물들은 이 보고서를 정치 기조로 합의했을 가능성이 짙다. 바이든 대통령이 집권하자마자 한국에서 '삼성'을 처음 찾은 것이 그 증거다. 반도체를 손에 들고 흔들었다는 사실을 명심하자.

아울러 앞서 몇 번 언급한 것 같다. 중국, 미국, 일본, EU, 한국은 인공지능 강국이다. 로봇도 강국이다. 그러나 아기 수준이 아니라 본격적으로 노동에 투입할 수 있는 국가는 아직 없다. 그래서 한국에게도 기회가 있다는 점을 강조하고 싶다.

마지막으로 말하고 싶은 건 책을 쓰기 전 필자는 혹시나 하는 한가지 생각이 들었다. AI의 강국인 미국이 '팍스 아메리카나(Pax Americana)'의 최종 종착점인 '세계정부 실현'이나 중국의 '중국몽-중화실현'이 그 목적이라면 그 대표적 수단은 무엇일까라고 생각했다. 아마도 그건 '로봇들의 노동 전쟁 일 수 있겠다'는 생각이었던 같다. 군사적인 로봇 전쟁도 당연히 포함될 것이다. 전쟁은 싸우는 기술도 중요하지만 무엇보다 보급이 중요하다. 그 보급이 반도체라고 생각하면 '한국은 가만히 중립을 지키는 시간은 얼마 없겠구나'고 생각해본다. 중립이 아니라면 산업에 투입할 수 있는 로봇을 빨리 생산해서 한국이라는 국가가 안전한 퇴로를 확보하는 게 중요하다고 생각한다. 안전한 퇴로는 삼국이 비슷한 숫자로 해외에 수익을 올리거나 중국을 제치고 미국을 넘지 않는 수준의 길일 것이다. 한국은 일본이 겪었던 '플라자 합의'를 맞지 말아야 한다.

지금도 미국과 중국은 서로를 선택하라고 압박하고 있다. 진퇴양난(**進退兩難**)! 멈춰있는 한국의 형국이다. 양쪽으로 미국과 중국이라는 두 거대한 도미노가 한국 쪽으로 넘어지는 시간은 고작 10년 밖에 없다.

27. The revival of the Acheson Line

(애치슨라인의 부활)

[애치슨 라인 선언(Acheson line declaration, 애치슨 선언)은 1950년 1월 12일에 발표된, 미국의 국무장관이었던 '딘 애치슨'에 의해 발표된 선언이다. 여기서 애치슨 라인(Acheson line)은 그 선언에서 발표된 미국의 동북아시아에 대한 극동방위선을 의미한다. - 출처 : 위키백과]

openAI-chatGPT, MS-copliot, 구글-바드 & 제미나이, 애플-Apple slicon Group, 메타-MTIA(Meta Training and Inference Accelerator), Ndivia-B200 & Cloud Service, 테슬라-옵티머스, Figure AI-Figure 01을 포함한 미국의 인공지능 및 로봇 관련 회사다. 중국도 Fourier Intelliqence-GR-1를 대량생산 준비중이다. 한국의 삼성과 하이닉스는 HBM이나 DDR메모리를 통해 로봇이나 IDC 서버에 들어가는 BtoB에 공급하는 노선을 취하고 있다. 하나만 묻고 싶다. 이대로 계속 갈 것인가?

필자는 미국이 자국의 안보를 이유로 리쇼어링이 진행중이고 IRA를 통해 중국의 압박을 강화하고 있다고 언급했다. 아울러 미국 자본이 일본으로 흘러가 일본 증시가 30년만에 최고치를 찍었다. 사실 지금의 일본 제조업이 소니가 세계를 점령하던 시절의 제조업이 활발하지는 않는다고 생각한다. 그러나 한가지 분명한 건 중국과 대만 전쟁 이슈로 일본은 병참기지의 역할을 한국전쟁 때와 같이 수행하려는 미국의 움직임이 보인다. 1950년과 다른 점이 있다면 일본이 본격적인 반도체 제조 역할도 수행할 수 있다는 점이다. 이미 일본에 TSMC가 구마모토에 1공장을 개소했고, 2공장을 추진중이다. 소부장기업도 다시 살아나고 있다. 일본은 다시 반도체 산업이 부활했다고 신문에 대서특필이고 국민들도 들떠 있는 상황이다.

여기서 한국의 스탠스는 어떻게 취해야 하는가? 미국보다 로봇을 빨리 만들고 TSMC보다 파운드리 점유율 싸움에 이겨서 미국이 생각하는 것보다 군사적, 경제적으로 한국이 최전방이면서 안전하다는 것을 알려야 하는가? 아니면 중국의 무역규모를 감안해서 양쪽과 균형외교를 취해야 하는가? 한미일 손을 잡은 이상 한국은 느긋하게 뭔가를 기다릴 수 없는 상태로 보여진다. 미국이 안보를 이유로 일본에 '병참기지'라는 말이 나온 건 다시 한번 '애치슨라인이 부활'했다고 말하고 싶다. 다들 알겠지만 '애치슨 라인'에는 '한국'이 빠져있다. 한국에는 미국 기지가 14곳이 있다고 한다. 그러나 트럼프가 당선되면 무슨 말을 할지 모른다. 당연하게 미국은 대만, 한국, 일본이 반도체를 생산하니까 이 셋 중 그 누구도 소홀하게 대하지는 않을 것이라는 신뢰가 있다고들 생각한다. 그러나 미국 반도체 기업들도 반도체 제조에 뛰어든 이상 이 신뢰 구도에 대한 대비책이 필요하다.

중국이 대만을 침공한다는 시나리오는 이미 지겹다. 전쟁 발발 시 한국도 자동참전이다. 한국 내 14곳의 미군기지와 본격적으로 한국군과 전시에 돌입하게 되는 것이다. 시나리오는 지겹게 들었으나 늘 긴장되는 건 어쩔 수 없다.

중국은 공산국가이다. 이미 공산당에 의해 기업이 어떻게 제재를 받는지 우리 눈으로 똑똑히 봤다. 중국의 시장가치를 무시하는게 아니다. 그러나 지금 이 시점에서 우리가 무엇을 우선순위에 두고 국력을 그 어떤 전쟁 수준으로 끌어올려야 하는지 묻고 싶다.

대한민국은 계속 지속되어야 한다. 이 로봇 노동 전쟁에서 지게 되면 과연 대한민국이라는 명칭과 자긍심이 계속 유지될 수 있을지 우려된다. 위기를 모르는 위기가 진짜 위기다. 한국인은 지금 무엇을 해야 하는가?

마지막 문장으로 이 사태를 대신한다.

1950년 6.25 전쟁이 일어날 때 한국에는 탱크가 단 한대도 없었다.

2024년 지금의 한국은 인공지능 기반 노동 로봇이 단 한대라도 있는가?

정리하며..

필자가 시간이 없어 많은 부분을 정리 못함에 따라 이 글을 읽는 분들께 죄송합니다. 사실 회사를 다니고 있는 동안에 책을 쓰기란 쉽지 않다는 걸 깨달았습니다. 책을 처음 쓰니 문장도 볼품 없습니다. 그래도 읽어주셔서 감사드립니다. 앞으로 책을 쓸 기회가 있을 때는 보다 더 신중하고 충실한 내용으로 집필하고 싶습니다. 빨리 세상에 내놓아야 하는 조급함이 앞섰던 저의 마음을 너그럽게 봐주시기 바랍니다.

아울러 이 책에 도움을 준 'Cern Basher'에게 깊은 감사를 보냅니다. 그의 응원이 없었다면 이 책이 쓰여지지 못했을 것입니다. 앞으로 메일이 아니라 직접 만나 다양한 의견을 나눴으면 하는 바램입니다.

그리고 이 책을 쓰는데 도움을 준 회사 동료 여러분, 친구들, 어머니, 형님, 두 딸과 아내에게 감사한 마음을 전합니다. 마지막으로 가장 존경하고 2023년 여름에 작고 하신 하늘에 계신 아버지께 깊은 감사의 마음도 전합니다.

읽어주셔서 진심으로 감사합니다.

참고자료

1. KDI(경제정보센터), "2023_01 해외동향 로봇 편", 2023

2. youtube.com

2-1. Figure AI :
https://www.youtube.com/watch?v=Sq1QZB5baNw&t=9s

2-2. 중국 GR-1 : https://www.youtube.com/watch?v=KoAEaZm1Hw4

2-3. 테슬라 옵티머스 :
https://www.youtube.com/watch?v=cpraXaw7dyc

2-4. 인도 뭄바이-쓰레기의 도시 :
https://youtu.be/lGnF3xNPHaE?si=fAx7Wr1FiCyX2j_A

2-5. Weaving on the Ashford Jack Loom :
https://www.youtube.com/watch?v=VbNl_nYl5qc

2-6. Traditional Weaving Process in Power Loom :
https://www.youtube.com/watch?v=pDto_DdMwz0

2-7. Behind the LifeWear 3D Knit :
https://youtu.be/0CcvpCY6sjo?si=nf2n5TkfxQD9lsW4

2-8. The Future of Interior Fabrics :
https://www.youtube.com/watch?v=QM94_TH40WY

2-9. Mobile ALOHA: Your Housekeeping Robot :
https://www.youtube.com/watch?v=HaaZ8ss-HP4&t=1s

2-10. 검색어 : knitting machine for beginners

https://www.youtube.com/results?search_query=knitting+machine+for+beginners

3. 포춘지 : https://fortune.com/2023/11/05/when-will-robots-replace-humans-startups-elon-musk-humanoids-optimus/, 2023.11.06

4. 포브스 :
https://www.forbes.com/sites/jonmarkman/2023/12/18/teslas-ai-revolution-morgan-stanley-predicts-explosive-growth/?sh=3c21e22d60d6, 2023.12.18

5. X.com :
https://twitter.com/CernBasher/status/1734945442511687768

6. 한국토지주택공사 토지주택연구원, "공공임대주택 거주실태조사", 진미윤연구, 정기성연구, 김경미연구, 2023-018

7. 한국토지주택공사 토지주택연구원, "미래사회에 대응하는 LH주택 개발방향 연구", 백혜선연구, 이영환연구, 유동주연구, 2023-069

8. 보건복지부, "2022년_국민기초생활보장_수급자_현황(최종)", 기초생활보장과, 2023.07

9. archpaper.com : https://www.archpaper.com/2020/11/henning-larsen-shares-master-plan-for-wolfsburg-connect/]

10. archiscene.net : https://www.archiscene.net/education/unity-preschool-studio-jia

11. 한미글로벌 기업블로그 :

https://blog.naver.com/cmhub/222987791270

12. 픽사베이 : Pixabay.com, Designed by Pixabay

13. freepik : freepik.com, Designed by Freepik

14. 네이버 블로그, "금성사의 로봇 FC-100에 연결",
https://m.blog.naver.com/jinslove4u/30189469976, 2014.04.25

15. vfxvoice.com : https://www.vfxvoice.com/what-mocap-suit-suits-you

16. 마이크로소프트 : https://news.microsoft.com/

17. openAI : https://openai.com/sora

18. 위키백과, "애치슨라인",
https://ko.wikipedia.org/wiki/%EC%95%A0%EC%B9%98%EC%8A%A8_%EC%84%A0%EC%96%B8

19. 앤비디아 : https://www.nvidia.com/

AI시대의 노동전쟁 그리고 저출산 해결방안

발 행 | 2024년 04월 16일
저 자 | 김태민
펴낸곳 | 주식회사 부크크
출판사등록 | 2014.07.15(제2014-16호)
주 소 | 서울특별시 금천구 가산디지털1로 119 SK트윈타워 A동 305호
전 화 | 1670-8316
이메일 | info@bookk.co.kr

ISBN | 979-11-410-8121-8

www.bookk.co.kr